U0019350

外商投資銀行超強 Excel獲利法

step by step
任何人都能提升數字敏感度,
創造利潤最大化

熊野整＿著

劉格安　譯

「精通數字的人」是什麼樣的人？

不知道各位對「精通數字的商務人士」，有什麼樣的印象？

只看寫著一堆數字的收益計畫書，就能指出哪邊利潤計算錯誤的上司；只要有人交代「幫我算出這個比率」，就能馬上心算出數字的年輕員工……各位周遭應該都有這樣的人才吧？

不過這些技巧只是「對於事先決定好的計算方式，能夠找出失誤或快速計算」的能力，而在計算技術發達的現在，已經不見得是人類應該要努力培養的能力了。

那麼究竟什麼樣的人，才能算是「精通數字」的人呢？

本書定義的「精通數字的商務人士」，是能夠藉由定量模擬不確定的未來，來考量必要對策優先順序的商務人士。尤其「定量」是這裡的重點。與其像下頁圖0-1的左圖說「總有一天」會轉虧為盈，不如像右圖那樣回答「3個月後」會轉虧為盈，比較能夠具體掌握未來的想像圖。

圖 0-1	精通數字＝懂得模擬

不懂**模擬**的人	懂得**模擬**的人
老闆！ 再這樣下去，公司總有一天會虧損！不過如果能盡快 ⑴ 推出新商品將銷售量提高 ⑵ 削減人事成本 我想這期應該能創造不少利潤！	老闆！ 再這樣下去，公司7個月後就會虧損了！不過如果能在3個月內 ⑴ 推出新商品將銷售量提高10% ⑵ 將人事成本削減15% 這期預計能創造10億圓的盈餘！

▌投資銀行計算企業併購的收購金額，也是經由模擬決定

我在大學畢業後進入摩根士丹利證券（當時）投資銀行部，負責資金調度與企業併購諮詢等業務。投資銀行會針對100億圓到數兆圓（本書皆指日圓）規模的企業併購案，計算出收購金額。

這裡要提到一個比較專業的財務資訊，就是收購金額的多寡取決於未來的預估收益。若以收購A公司為例，就是計算A公司（被收購企業）未來的收益，再從未來收益折算現值作為收購價格。未來收益成長愈多，收購金額亦將會愈高。

這時，投資銀行會模擬A公司（被收購企業）未來的收益，其中所採用的方式之一就是個案分析。之後會進一步解說詳細內容，簡而言之，就是將未來收益分成3種個案（悲觀個案、普通個案、樂觀個

案），計算出收購價格的範圍，在那個範圍中反覆進行談判，最後決定出A公司（被收購企業）的收購價格。

本書將逐步解說我在投資銀行時代學到的超基礎商業模擬方法，尤其會按部就班地具體說明如何使用Excel計算，請儘管充分運用在實際的商場上。

▌商業模擬其實只要Excel就夠了

說到投資銀行如何計算大型企業併購的收購金額，其實並沒有使用什麼特別的計算系統，一律使用Excel進行計算。

Excel最棒的地方就是操作起來非常方便，從簡單的加法到大量資料分析都不成問題。就像在全白的畫布上繪圖一樣，可以忠實呈現出自己想要的計算想像圖。

全世界每年都有許多企業併購案，但沒有哪件企業併購案是完全相同的，「要詳細模擬哪個數字」會依每個案件的背景與狀況而有所不同，而操作方便的Excel正適合用在這種需要彈性的模擬作業上。

另外，本書使用的版本是Office365（2018年11月）。

本書是前作《外商投資銀行超強Excel製作術》的續集。在《外商投資銀行超強Excel製作術》中，介紹了投資銀行在使用Excel上，

所重視的一些觀念與訣竅。託各位的福，該書一度成為大型書店綜合排名第1名的暢銷作，現在也依然有很多商務人士展讀，其中也有大企業將其列入社會新鮮人的必讀書單。

《外商投資銀行超強Excel製作術》一書詳細介紹了「清楚、正確、迅速」地使用Excel的技巧。

另一方面，本書則不打算說明太細部的Excel訣竅，而是以「使用Excel強化數字能力」為目標，介紹相關的必備技巧。平常工作有使用到Excel的人就不必說了，我希望連平常不太使用Excel，但想要學會用數字談論管理的管理階層人士也能閱讀本書。

但願各位的公司都能透過本書，成為內部溝通上「精通數字（＝懂得模擬）」的組織。

CONTENTS

第 3 章　制定收益計畫

根據過去實績預測未來事業的技術

CONTENTS

第 4 章　發表收益計畫簡報

商業模擬是否正確傳達很重要

第 5 章　建立市場行銷收益模擬模型

商業模擬的目標就在這裡

CONTENTS

01

收益模擬模型
【基礎篇】
先 畫 出 簡 單 易 懂 的 設 計 圖

先畫出收益模型的設計圖：魚骨圖

事不宜遲，現在就來繪製收益模擬的模型（以下簡稱「收益模型」）吧。此處舉的是漢堡店的例子。

圖1-1　這次的案例：漢堡店

（A）銷售量：　　　1,000個／月＋每月成長10%
（B）價格：　　　　1個1,000圓
（C）材料成本：　　1個300圓
（D）租金：　　　　10萬圓／月
（E）水電瓦斯費：　無

➡直接打開Excel表格也不知道該從哪裡開始
➡先繪製收益模型的設計圖

看到這裡，如果可以立刻用Excel建立收益模型當然是最理想的，但相信也有很多人傷腦筋：「不知道該從何處著手才好。」因此，第一步先繪製收益模型的設計圖（圖1-2）。這是一道拆解構成要素的程序，可以知道營業收入、成本、利潤是如何產生的。例如營業收入是用銷售量×成長率的乘法去計算出來。這張設計圖又稱為「魚骨圖」。

繪製好這張圖，確定藍色部分的數字（本月的銷售量等等）之

後，接下來只要從右到左逐一計算，即可求得營業收入、成本與利潤。換句話說，創造利潤的要素取決於藍色的數字。本書中稱這些藍色的數字為價值動因（value driver）。仔細繪製設計圖，並釐清哪些是價值動因，即為建立收益模型的第一個步驟。

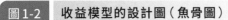

圖1-2　收益模型的設計圖（魚骨圖）

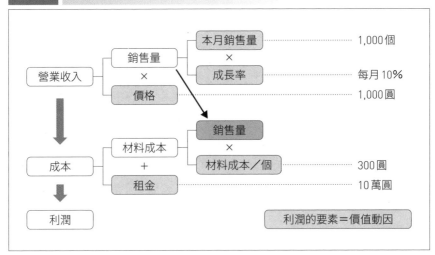

收益模型設計圖（魚骨圖）只需要「大略」繪製即可

在繪製收益模型的設計圖時，有2件事情要注意。一是不要把設計圖繪製得太詳細。如果一開始就把設計圖繪製得很詳細，可能會導致後續的作業增加，就無法在截止期限前完成作業。

此外，假如計算過程很複雜，也會增加計算錯誤的風險。所以一開始只要「大略」繪製即可，詳細的模型等到基本模型都完成後再進一步去建立。

其次是**盡量讓數字連動**。這在第三章〈制定收益計畫〉也會有相關解說，在提高收益預測模擬的準確度上，「哪個數字與哪個數字連動」是非常重要的一點。假如數字的連動偏離現實，會大幅影響未來的收益預測。

讓數字連動時，最重要的就是不要帶入會計名詞中「變動成本」與「固定成本」的觀念。舉例而言，一般都認為租金是固定成本，也就是跟營業收入沒有關係，但實際上如果有「營業收入增加→員工增加→租金增加」的可能性，在建立未來預測時就應該讓營業收入與租金連動才對。在連動數字時請保持思考上的彈性，盡量排除「租金是固定成本，所以不與營業收入連動」這種先入為主的觀念。

▌只要有魚骨圖，團隊就能討論利潤

假如上司對你說：「我希望你想個辦法來提高我們的利潤。」於是你提議：「我們增加10名業務員吧！這樣一定會增加15張訂單×單價500萬圓＝7,500萬圓！」（圖1-3）不過上司八成會罵你，說這根本是亂答一通。

一來，根本就沒有明確的根據可以保證「增加10名業務員就能增加15張訂單」，而且要考慮的問題點也很多，例如10名業務員可以爭取到多少面訪機會、下單率有多高、單價有沒有可能從500萬圓向上調漲等等。二來業務員增加的話，成本也會增加，不僅是人事成本而已，辦公室的租金說不定也會增加。

這種情況下應該要計算業務員增加10人，對營業收入與成本的影響，確實將其結構化。若能逐一與上司討論圖1-4中的藍字（價值動

因）部分，相信就能計算出更精確的利潤影響。

圖 1-3　✕ 此處的 7,500 萬圓是營業收入而非利潤

圖 1-4　○ 用樹狀結構思考利潤影響

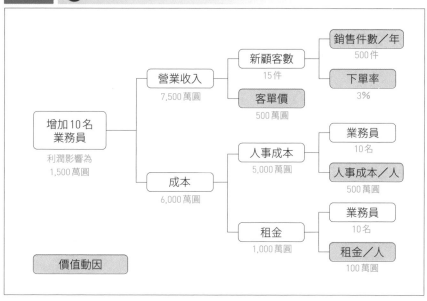

畫出設計圖後，用Excel建立收益模型

　　收益模型的設計圖完成後，便開始製作Excel表格。首先把各個項目名稱填入表格內。如右頁圖1-6所示，營業收入與銷售量相互錯開1排。這是「增加縮排」的功能，可以更容易了解計算的依據。

圖1-5 **收益模型的設計圖（魚骨圖）**

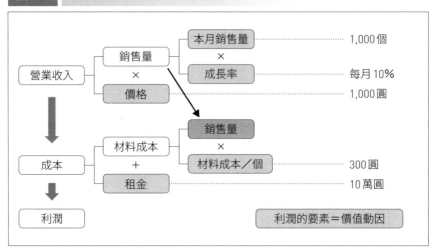

圖1-6　配合設計圖的項目，Excel的列也由左→右縮排

	A B C	D	E	F	G	H
1						
2	收益計畫					
3				本月	下月	下下月
4	營業收入		圓			
5	銷售量		個			
6	成長率		%			
7	價格		圓			
8	成本		圓			
9	材料成本		圓			
10	平均材料成本		圓			
11	租金		圓			
12	利潤		圓			

接下來輸入收益模型的數字。正如前文所說明的，先在收益模型
中輸入設計圖右側那一串「價值動因（藍字）」，再由右到左逐項計
算，最後計算出營業收入、成本與利潤。另外，沒有數字的部分則輸
入N/A（不適用）。

圖1-7　數字先從價值動因（藍字）開始填起

	A B C	D	E	F	G	H
1						
2	收益計畫					
3				本月	下月	下下月
4	營業收入		圓			
5	銷售量		個	1,000		
6	成長率		%	N/A	10%	10%
7	價格		圓	1,000	1,000	1,000
8	成本		圓			
9	材料成本		圓			
10	平均材料成本		圓	300	300	300
11	租金		圓	100,000	100,000	100,000
12	利潤		圓			

輸入價值動因的數字以後，再逐一填入其餘的項目。這個部分全部都是計算式。例如，銷售量是由「本月的銷售量×成長率」所決定的，因此填入的計算式就是：

下月的銷售量＝本月的銷售量1,000個×（1＋成長率10%）。

圖1-8 從右到左逐排計算數字（先計算銷售量）

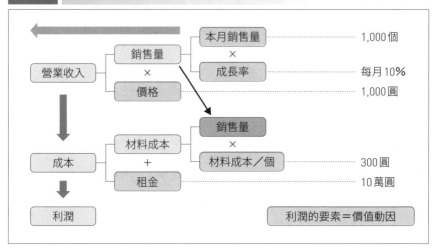

圖1-9 從右到左逐排計算數字（先計算銷售量）

	A	BC	D	E	F	G	H
1							
2			收益計畫				
3					本月	下月	下下月
4			營業收入	圓			
5			銷售量	個	1,000	=F5*(1+G6)	
6			成長率	%	N/A	10%	10%
7			價格	圓	1,000	1,000	1,000
8			成本	圓			
9			材料成本	圓			
10			平均材料成本	圓	300	300	300
11			租金	圓	100,000	100,000	100,000
12			利潤	圓			

其他項目也參考設計圖，填入以下的計算式進行計算。

⑴ 中間排

材料成本＝銷售量 × 平均材料成本

⑵ 最左排

營業收入＝銷售量 × 價格

成本＝材料成本＋租金

利潤＝營業收入－成本

圖1-10　完成收益模型

	A	BC	D	E	F	G	H
1							
2		收益計畫					
3					本月	下月	下下月
4		營業收入		圓	1,000,000	1,100,000	1,210,000
5			銷售量	個	1,000	1,100	1,210
6			成長率	％	N/A	10%	10%
7			價格	圓	1,000	1,000	1,000
8		成本		圓	400,000	430,000	463,000
9			材料成本	圓	300,000	330,000	363,000
10			平均材料成本	圓	300	300	300
11			租金	圓	100,000	100,000	100,000
12		利潤		圓	600,000	670,000	747,000

上表中**價值動因的部分，也就是手動輸入的數字是藍色的**，由計算式計算出來的數字是黑色的。如此一來，只要看到模型就能立刻知道「藍色是價值動因，所以是可以更改的數字」。也就是說，在做未來預測的模擬時，只要逐一去更動藍色數字即可。

一定要檢查收益模型的計算過程

關於這類的規則，拙作《外商投資銀行超強Excel製作術》中有詳盡的記載。完成收益模型以後，記得一定要檢查計算過程。這裡採用的是以下2種功能：

(1)「F2」鍵

比方說要確認本月營業收入的計算式時，**可以按「F2」鍵來檢查計算式（圖1-11）。**此時，儲存格中會出現計算式，參照的儲存格會顯示出不同的顏色。確認完以後，只要按「Esc」鍵就會復原。

(2) 追蹤

比方說要確認下月營業收入計算式的前導參照儲存格時，**可以用追蹤箭頭來檢視計算式參照的儲存格。**先點選輸入計算式的儲存格，再選取「公式」→「追蹤前導參照」，就會出現追蹤箭頭（藍色的箭頭）。圖1-12中，若點選的是「下月的營業收入（儲存格G4）」，就會出現圖中的追蹤箭頭。如此一來，即可知道求取「下月營業收入」的計算式，參照的是「銷售量（儲存格G5）」與「價格（儲存格G7）」。另外，圖1-13顯示的則是下月銷售量的儲存格被用在哪些計算中。只要點選Excel上方功能區的「公式」→「追蹤從屬參照」，即可顯示出來。在檢查參照多個儲存格的計算式時，追蹤是相當方便的功能。要消除箭頭的話，只要點選「公式」→「移除箭號」即可。

圖1-11　用「F2」鍵檢查計算式！

	A BC	D	E	F	G	H
1						
2	收益計畫					
3				本月	下月	下下月
4	營業收入		圓	=F5*F7	1,100,000	1,210,000
5	銷售量		個	1,000	1,100	1,210
6	成長率		%	N/A	10%	10%
7	價格		圓	1,000	1,000	1,000
8	成本		圓	400,000	430,000	463,000
9	材料成本		圓	300,000	330,000	363,000
10	平均材料成本		圓	300	300	300
11	租金		圓	100,000	100,000	100,000
12	利潤		圓	600,000	670,000	747,000

圖1-12　追蹤前導參照

	A BC	D	E	F	G	H
1						
2	收益計畫					
3				本月	下月	下下月
4	營業收入		圓	1,000,000	1,100,000	1,210,000
5	銷售量		個	1,000	1,100	1,210
6	成長率		%	N/A	10%	10%
7	價格		圓	1,000	1,000	1,000
8	成本		圓	400,000	430,000	463,000
9	材料成本		圓	300,000	330,000	363,000
10	平均材料成本		圓	300	300	300
11	租金		圓	100,000	100,000	100,000
12	利潤		圓	600,000	670,000	747,000

圖1-13　追蹤從屬參照

	A BC	D	E	F	G	H
1						
2	收益計畫					
3				本月	下月	下下月
4	營業收入		圓	1,000,000	1,100,000	1,210,000
5	銷售量		個	1,000	1,100	1,210
6	成長率		%	N/A	10%	10%
7	價格		圓	1,000	1,000	1,000
8	成本		圓	400,000	430,000	463,000
9	材料成本		圓	300,000	330,000	363,000
10	平均材料成本		圓	300	300	300
11	租金		圓	100,000	100,000	100,000
12	利潤		圓	600,000	670,000	747,000

使用收益模型進行模擬
銷售量與價格，何者影響較大？

完成收益模型後，接下來要進入實際模擬的階段。此處就以前文的漢堡店為例，思考看看以下的問題：

圖1-14　個案研究

(1)　**漢堡店**
　　（A）你正在經營一家漢堡店
　　（B）店面生意很好，下個月的銷售量似乎會比這個月增加10%
　　（C）另一方面，漢堡也可以調升價格
　　（D）如果漲價10%的話，下個月的銷售量應該會跟這個月差不多

(2)　**問題**
　　請問你預估以下哪一種方案能使利潤提高？
　　（A）價格不變，銷售量增加10%
　　（B）價格調升10%，銷售量不變

或許有很多人會認為：「以價格×銷售量來說，問題中的（A）與（B）結果不是一樣嗎？」不過事實並非如此。如圖1-15、1-16所示，在（A）銷售量增加10%的情況下，利潤是670,000圓，在（B）價格調升10%的情況下，利潤則是700,000圓，可見（B）方案的利潤比較高。原因在於材料成本（圖1-15、1-16的儲存格G9）。雖然（A）與（B）的營業收入相同（價格×銷售量），但（A）方案因為銷售量增加，材料成本提高，所以利潤比較低。反觀（B）方案即使調升價格，材料成本也不會增加，因此利潤比較高。

從這道問題的結論可知，「價格調升10％對利潤的影響，比銷售量增加10％還大」，顯然賣得多不見得會賺得比較多，這就是收益模擬。

圖 1-15 ﹝A﹞在銷售量增加10％的情況下，下個月的利潤是670,000圓（儲存格G12）

	A	B	C	D	E	F	G	H
1								
2		收益計畫						
3						本月	下月	下下月
4		營業收入			圓	1,000,000	1,100,000	1,210,000
5			銷售量		個	1,000	1,100	1,210
6			成長率		%	N/A	10%	10%
7			價格		圓	1,000	1,000	1,000
8		成本			圓	400,000	430,000	463,000
9			材料成本		圓	300,000	330,000	363,000
10			平均材料成本		圓	300	300	300
11			租金		圓	100,000	100,000	100,000
12		利潤			圓	600,000	670,000	747,000

圖 1-16 ﹝B﹞在價格調升10％的情況下，下個月的利潤是700,000圓（儲存格G12）

	A	B	C	D	E	F	G	H
1								
2		收益計畫						
3						本月	下月	下下月
4		營業收入			圓	1,000,000	1,100,000	1,100,000
5			銷售量		個	1,000	1,000	1,100
6			成長率		%	N/A	0%	10%
7			價格		圓	1,000	1,100	1,000
8		成本			圓	400,000	400,000	430,000
9			材料成本		圓	300,000	300,000	330,000
10			平均材料成本		圓	300	300	300
11			租金		圓	100,000	100,000	100,000
12		利潤			圓	600,000	700,000	670,000

真的很常聽說這樣的事情：為了達到目標銷售量而降低價格，結果利潤不增反減……。真心希望團隊中的每位成員都能以提高團隊整體利潤為目標。

想要精通商業數字……就用收益模型玩遊戲！

很多人在收益模型完成後就心滿意足了，但這樣其實大錯特錯。

有件事情必須耗費跟建立收益模型差不多的時間，就是「用收益模型玩遊戲」。

說到玩遊戲或許有人會誤解，但總之就是要不斷、不斷、不斷地去調整收益模型的數字！這個過程很重要。

請看次頁的2張表（圖1-17、1-18）。上圖（圖1-17）是最壞情況下的數字。銷售量減少30％、價格下降，材料成本也增加，利潤大幅下降。

另一方面，下圖（圖1-18）則是最好的情況。銷售量增加、價格提高，材料成本也壓低，使得下個月的利潤大幅增加至1,460,000圓。

這樣調整一下數字以後，即可看出數字變動的幅度。只要確實將這個商業利潤變動幅度有多大的資訊輸入腦袋，即可了解到以下2件事：

⑴ 可以掌握這個事業的風險
⑵ 知道哪個價值動因對利潤的影響比較大

其中又以2特別重要。當收益模型規模變大時，很難辨識出哪個價值動因會對利潤造成影響。討論那些影響不大的價值動因只是浪費

時間而已。**若能藉由調整數字的遊戲，知道「喔，這個價值動因對利潤的影響很大」，那麼團隊只需要討論那個重要的數字即可。**

　　在建立收益模型之餘，若能像這樣練習運用收益模型，想必會是很好的腦力訓練。

圖1-17　✕ 最壞的情況：銷售量減少、價格下降、材料成本增加

	A	B	C	D	E	F	G	H
1								
2			收益計畫					
3						本月	下月	下下月
4			營業收入		圓	1,000,000	490,000	343,000
5			銷售量		個	1,000	700	490
6			成長率		%	N/A	-30%	-30%
7			價格		圓	1,000	700	700
8			成本		圓	400,000	380,000	296,000
9			材料成本		圓	300,000	280,000	196,000
10			平均材料成本		圓	300	400	400
11			租金		圓	100,000	100,000	100,000
12			利潤		圓	600,000	110,000	47,000

圖1-18　○ 最好的情況：銷售量增加、價格提高、材料成本減少

	A	B	C	D	E	F	G	H
1								
2			收益計畫					
3						本月	下月	下下月
4			營業收入		圓	1,000,000	1,800,000	2,160,000
5			銷售量		個	1,000	1,200	1,440
6			成長率		%	N/A	20%	20%
7			價格		圓	1,000	1,500	1,500
8			成本		圓	400,000	340,000	388,000
9			材料成本		圓	300,000	240,000	288,000
10			平均材料成本		圓	300	200	200
11			租金		圓	100,000	100,000	100,000
12			利潤		圓	600,000	1,460,000	1,772,000

前陣子我在某個大型流通企業舉辦了讀書會，主題是「思考提升利潤的方法，並模擬對利潤的影響」。總共分成6組，有的組別設計新事業，有的組別則設計出全公司的成本削減案，並使用Excel計算出對利潤的影響，最後在眾人面前發表。整場讀書會的氣氛非常熱絡。

　　其中一個有趣的現象是，利潤影響大的政策與影響小的政策比起來，有非常明顯的差異。新事業案的利潤影響頂多1～5億圓，不過全公司的成本削減案卻計算出超過10億圓的結果。

　　理由之一是該企業的營收大約2兆圓，但人事成本卻差不多有1.2兆圓。因此，只要能減少任何一點人事成本，都會對利潤帶來很大的影響。而且比起讓新事業成功，縮減經費似乎也比較可能實現。**像這樣用讀書會的形式調整一下公司的財務資料，即可釐清對公司來說哪些是重要的價值動因（此例中為人事成本）。**

02

收益模擬模型
【應用篇】

迅速有效地製作分析資料

製作可供團隊使用的分析資料
可以瞬間找到「數字答案」的 Excel 祕訣

接下來是收益模擬的應用篇。第1章的最後提到「要用收益模型玩遊戲」，但光是這樣還不夠。假設現在整個團隊要以收益模型模擬未來的收益預測，此時如果針對「銷售量增加10％的話，利潤會增加多少？」或「材料成本要降到多少，利潤才會變成零？」等討論項目，逐一去調整價值動因的話，會耗費不少時間。這樣不能算是有效率的討論。這裡的應用篇會一邊使用Excel的功能，一邊介紹如何製作出讓團隊容易討論的分析資料。應用篇中會介紹的有以下3種：

(1) 求損益兩平點（目標搜尋功能）

(2) 敏感度分析（運算列表功能）

(3) 個案分析（CHOOSE 函數）

圖 2-1	收益模擬應用

(1) 逐一調整數字很耗時

　(A) 討論無法有效率地進行

　(B) 使用Excel的功能製作更方便檢視、更容易討論的分析資料

```
                              ┌─ 損益兩平點 ┄┄┄┄ 目標搜尋
  收益模擬應用 ─────────────────┼─ 敏感度分析 ┄┄┄┄ 運算列表
                              └─ 個案分析   ┄┄┄┄ CHOOSE 函數
```

損益兩平點（目標搜尋）
找出最低可以降價到哪裡

圖 2-2　收益模擬應用

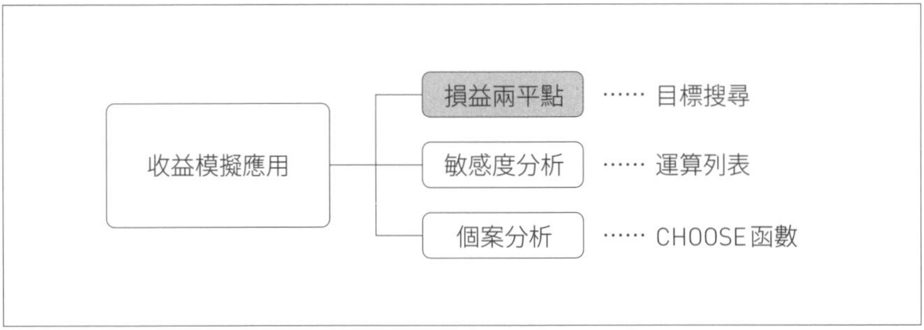

（圖內容）

損益兩平點 ⋯⋯ 目標搜尋

收益模擬應用 ── 敏感度分析 ⋯⋯ 運算列表

個案分析 ⋯⋯ CHOOSE 函數

　　舉例而言，假設上司這樣徵詢你的意見：

　　「我們的商品銷售價格是 1,000 圓，但競爭對手一直在降價，或許我們也必須降價才行。不過我們的商品大概降價到多少，利潤會變成零呢？」

　　降到利潤變成零的那一點，就稱作損益兩平點。

　　雖然我很想說：「只要有收益模型，一秒就能完成計算。」但事實上並沒有那麼容易。

這次使用的是下圖的收益模型（數字與第1章的收益模型稍有不同）。

圖2-3　這次的收益模型

A BC	D	E	F	G	H
1					
2	收益計畫				
3			本月	下月	下下月
4	營業收入	圓	1,000,000	1,050,000	1,102,500
5	銷售量	個	1,000	1,050	1,103
6	成長率	%	N/A	5%	5%
7	價格	圓	1,000	1,000	1,000
8	成本	圓	700,000	725,000	751,250
9	材料成本	圓	500,000	525,000	551,250
10	平均材料成本	圓	500	500	500
11	租金	圓	200,000	200,000	200,000
12	利潤	圓	300,000	325,000	351,250

現在試著把下個月的價格（儲存格G7）從1,000圓改成800圓，則下個月的利潤（儲存格G12）會變成115,000圓。

圖2-4　把下個月的價格從1,000圓調降為800圓

A BC	D	E	F	G	H
1					
2	收益計畫				
3			本月	下月	下下月
4	營業收入	圓	1,000,000	840,000	1,102,500
5	銷售量	個	1,000	1,050	1,103
6	成長率	%	N/A	5%	5%
7	價格	圓	1,000	800	1,000
8	成本	圓	700,000	725,000	751,250
9	材料成本	圓	500,000	525,000	551,250
10	平均材料成本	圓	500	500	500
11	租金	圓	200,000	200,000	200,000
12	利潤	圓	300,000	115,000	351,250

想要讓利潤歸零，似乎還可以再降價。乾脆一口氣把價格設定為500圓好了，這樣一來，下個月的利潤就變成了負200,000圓的大虧損。

圖2-5 再把價格調降至500圓

	A	B	C	D	E	F	G	H
1								
2			收益計畫					
3						本月	下月	下下月
4			營業收入		圓	1,000,000	525,000	1,102,500
5			銷售量		個	1,000	1,050	1,103
6			成長率		%	N/A	5%	5%
7			價格		圓	1,000	500	1,000
8			成本		圓	700,000	725,000	751,250
9			材料成本		圓	500,000	525,000	551,250
10			平均材料成本		圓	500	500	500
11			租金		圓	200,000	200,000	200,000
12			利潤		圓	300,000	-200,000	351,250

像這樣憑感覺改變價格，也很難讓利潤剛好等於零。這種收益模型的問題點就是「用調整價值動因的方式來改變利潤很簡單，但要配合目標利潤調整價值動因卻很困難」。

想求損益兩平點的時候，可以使用Excel的「目標搜尋」功能。目標搜尋功能簡單來說就是「倒推」。這是一種很方便的功能，只要設定好利潤的目標值，就能倒推回來算出達成目標值所需的價格。

目標搜尋功能只要點選「資料」→「模擬分析」→「目標搜尋」，就能叫出設定畫面（圖2-6）。

圖 2-6 「資料」→「模擬分析」→「目標搜尋」

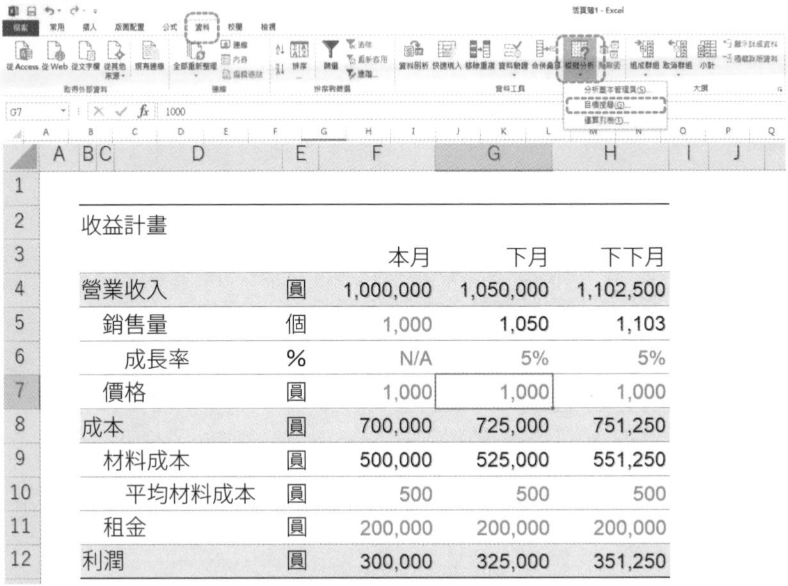

在目標搜尋中，指定以下 3 個條件（圖 2-7）。

⑴ 目標儲存格

點選並輸入這次的目標，也就是求下個月利潤的計算式的儲存格（儲存格 G12）。

⑵ 目標值

由於這次的目標是讓利潤變成零，因此輸入「0」。

⑶ 變數儲存格

由於這次是為了讓下個月的利潤變零，所以要改變「下月的價格」，因此點選該儲存格（儲存格 G7）。

圖2-7　輸入目標儲存格、目標值、變數儲存格再按確定

		A	BC	D	E	F	G	H	I	J
1										
2				收益計畫						
3						本月	下月	下下月		
4				營業收入	圓	1,000,000	1,050,000	1,102,500		
5				銷售量	個	1,000	1,050	1,103		
6				成長率	%	N/A	5%	5%		
7				價格	圓	1,000	1,000			
8				成本	圓	700,000	725,000			
9				材料成本	圓	500,000	525,000			
10				平均材料成本	圓	500	500			
11				租金	圓	200,000	200,000			
12				利潤	圓	300,000	325,000	351,250		

目標搜尋
目標儲存格(E): G12
目標值(V): 0
變數儲存格(C): G7
確定　取消

　　最後按下「確定」後，下個月的價格數字就會如下圖所示，變成690圓。換句話說，在價格變成690圓時，利潤剛好會等於零。

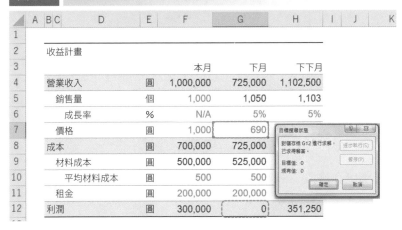

圖2-8　結果利潤變成零，價格變成690圓

		A	BC	D	E	F	G	H	I	J	K
1											
2				收益計畫							
3						本月	下月	下下月			
4				營業收入	圓	1,000,000	725,000	1,102,500			
5				銷售量	個	1,000	1,050	1,103			
6				成長率	%	N/A	5%	5%			
7				價格	圓	1,000	690				
8				成本	圓	700,000	725,000				
9				材料成本	圓	500,000	525,000				
10				平均材料成本	圓	500	500				
11				租金	圓	200,000	200,000				
12				利潤	圓	300,000	0	351,250			

目標搜尋狀態
對儲存格 G12 進行求解，已求得解答。　逐步執行(S)
目標值: 0　　暫停(P)
現有值: 0
確定　取消

自己動手更改價格很難找到「690」這個答案，但只要使用目標搜尋的功能，即可順利找到損益兩平點。

目標搜尋不僅可以用來尋找損益兩平點，也可以用在目標利潤的調整上。舉例而言，當上司看到這個收益模型，問說：「我希望下個月的利潤可以從325,000圓盡量提高到400,000圓……這樣平均材料成本要下降多少才能達成？」此時也可以用目標搜尋功能來計算。

圖 2-9　想讓下個月的利潤（儲存格G12）從325,000圓→400,000圓

	A BC	D	E	F	G	H
1						
2	收益計畫					
3				本月	下月	下下月
4	營業收入		圓	1,000,000	1,050,000	1,102,500
5	銷售量		個	1,000	1,050	1,103
6	成長率		%	N/A	5%	5%
7	價格		圓	1,000	1,000	1,000
8	成本		圓	700,000	725,000	751,250
9	材料成本		圓	500,000	525,000	551,250
10	平均材料成本		圓	500	500	500
11	租金		圓	200,000	200,000	200,000
12	利潤		圓	300,000	325,000	351,250

此時，在目標搜尋中要設定的條件是以下3項（圖2-10）：

(1) 目標儲存格：下個月的利潤（儲存格G12）

(2) 目標值：400,000

(3) 變數儲存格：下個月的平均材料成本（儲存格G10）

圖2-10　如果把利潤（儲存格G12）的目標值設為400,000圓……

	A	BC	D	E	F	G	H	I	J
1									
2			收益計畫						
3					本月	下月	下下月		
4			營業收入	圓	1,000,000	1,050,000	1,102,500		
5			銷售量	個	1,000	1,050	1,103		
6			成長率	%	N/A	5%	5%		
7			價格	圓	1,000	1,000			
8			成本	圓	700,000	725,000			
9			材料成本	圓	500,000	525,000			
10			平均材料成本	圓	500	500			
11			租金	圓	200,000	200,000			
12			利潤	圓	300,000	325,000	351,250		

目標搜尋
目標儲存格(E)：G12
目標值(V)：400000
變動儲存格(C)：G10
確定　取消

從結果可知，只要能夠把材料成本從500圓壓低至429圓，即可達成400,000圓的目標利潤。

圖2-11　平均材料成本變成429圓

	A	BC	D	E	F	G	H	I	J	K
1										
2			收益計畫							
3					本月	下月	下下月			
4			營業收入	圓	1,000,000	1,050,000	1,102,500			
5			銷售量	個	1,000	1,050	1,103			
6			成長率	%	N/A	5%	5%			
7			價格	圓	1,000	1,000				
8			成本	圓	700,000	650,000				
9			材料成本	圓	500,000	450,000				
10			平均材料成本	圓	500	429				
11			租金	圓	200,000	200,000				
12			利潤	圓	300,000	400,000	351,250			

目標搜尋狀態
對儲存格 G12 進行求解，
已求得解答。　　逐步執行(S)
目標值：400000　　　暫停(P)
現值：400,000
確定　取消

在規劃事業計畫的過程中，經常會碰到「嗯，營收比想像中的少，不知道能不能增加銷售量來提高營收？」這種需要調整的情況。在這種情況下，目標搜尋功能即可派上用場。

在使用目標搜尋功能時，有一點要注意的是，變數儲存格（此例中為下個月的平均材料成本）必須是手動輸入的數字。如果這個儲存格有參照到其他儲存格或包含計算式的話，就會像下圖這樣，出現「儲存格必須包含數值」的錯誤訊息。

圖 2-12 「變數儲存格」若包含計算式（此例中為 G9），會出現錯誤訊息

	A	BC	D	E	F	G	H	I	J	
1										
2		收益計畫								
3					本月	下月	下下月			
4		營業收入		圓	1,000,000	1,050,000	1,102,500			
5		銷售量		個	1,000	1,050	1,103			
6		成長率		%	N/A	5%	5%			
7		價格		圓	1,000	1,000				
8		成本		圓	700,000	725,000				
9		材料成本		圓	500,000	525,000				
10		平均材料成本		圓	500	500				
11		租金		圓	200,000	200,000				
12		利潤		圓	300,000	325,000				
13										
14										

目標搜尋
目標儲存格(E)：　G8
目標值(V)：　0
變數儲存格(C)：　G9
確定　取消

Microsoft Excel
⚠ 儲存格必須包含數值。
確定

3

敏感度分析 ❶ 運算列表
一目瞭然地呈現出數字的變動

圖 2-13　收益模擬應用

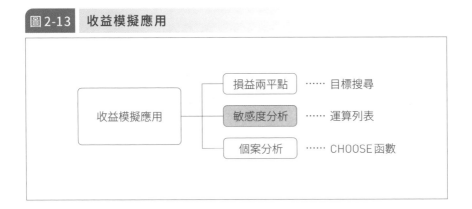

接下來是敏感度分析。

這一回假設老闆這樣問你：

「我看了這張收益計畫以後，很好奇的是，如果價格從1,000圓調降至950圓，然後讓銷售量的成長率從10%→15%的話，利潤會增加嗎？還是會減少？」

這個問題只要用收益模型即可輕易計算出來。只要改變原本的收益計畫（圖2-14）的價格與銷售量的成長率，就會知道利潤比原本的收益計畫還低（圖2-15）。

看到這個結果以後，你自信滿滿地回答：「老闆！這樣利潤會減少！」接著老闆又繼續提問。

圖 2-14 原本的收益計畫（數字與目標搜尋中使用的收益計畫略有不同）

	A B C	D	E	F	G	H
1						
2	收益計畫					
3				本月	下月	下下月
4	營業收入		圓	1,000,000	1,100,000	1,210,000
5	銷售量		個	1,000	1,100	1,210
6	成長率		%	N/A	10%	10%
7	價格		圓	1,000	1,000	1,000
8	成本		圓	400,000	430,000	463,000
9	材料成本		圓	300,000	330,000	363,000
10	平均材料成本		圓	300	300	300
11	租金		圓	100,000	100,000	100,000
12	利潤		圓	600,000	670,000	747,000

圖 2-15 聽了老闆的提問後，經過修改的收益計畫

	A B C	D	E	F	G	H
1						
2	收益計畫					
3				本月	下月	下下月
4	營業收入		圓	1,000,000	1,092,500	1,256,375
5	銷售量		個	1,000	1,150	1,323
6	成長率		%	N/A	15%	15%
7	價格		圓	1,000	950	950
8	成本		圓	400,000	445,000	496,750
9	材料成本		圓	300,000	345,000	396,750
10	平均材料成本		圓	300	300	300
11	租金		圓	100,000	100,000	100,000
12	利潤		圓	600,000	647,500	759,625

「這樣啊，利潤會減少是嗎？那如果銷售量的成長率是20％而非15％的話呢？等等，成長20％好像有點困難，那還是維持1,000圓的價格，跟15％的銷售量成長率是最剛好的吧……你能不能都先計算出利潤給我？」

這時你內心一定覺得：「老闆還真是難搞啊！」

我能理解你的心情，但也能理解老闆的顧慮。因為在價格一旦調漲，銷售量就會減少的情況下，模擬利潤最大化需要同時調整這2個數字。

像這樣搭配多項價值動因進行模擬時，如果1次只調整1個數字，會很難順暢地討論下去。

在這種情況下，最有效的模擬方法就是「敏感度分析」。具體方式如圖2-16所示，以2種價值動因作為縱軸與橫軸進行利潤的模擬。

圖2-16　這就是敏感度分析！

	I	J	K	L	M	N	O
13							
14		下個月的營業利潤模擬					
15		圓					
16					銷售量的成長率		
17				0%	5%	10%	15%
18		價格	900	500,000	530,000	560,000	590,000
19			950	550,000	582,500	615,000	647,500
20			1,000	600,000	635,000	670,000	705,000
21			1,050	650,000	687,500	725,000	762,500
22			1,100	700,000	740,000	780,000	820,000

看到這個以後，老闆應該就會注意到：「哦，原來就算銷售量的成長率從10％→15％，但價格只要從1,000圓→950圓，利潤就會減少，從67萬圓→64萬圓。價格果然很重要！」

現在知道敏感度分析可以如何運用後，接下來就用Excel來操作看看吧，也就是用「運算列表」的功能進行計算。

這次的敏感度分析步驟如下：

⑴ 以價格為縱軸、銷售量的成長率為橫軸
⑵ 模擬下個月的營業利潤

首先，把價格填入縱軸，銷售量的成長率填入橫軸。這些數字皆為手動輸入，因此設成藍色。

圖 2-17　以價格為縱軸、銷售量的成長率為橫軸

	I	J	K	L	M	N	O
13							
14		下個月的營業利潤模擬					
15		圓					
16					銷售量的成長率		
17				0%	5%	10%	15%
18		價格	900				
19			950				
20			1,000				
21			1,050				
22			1,100				

接下來，點選敏感度分析表（圖2-18）的左上角（儲存格K17），參照到下個月的利潤（儲存格G12）（圖2-19）。這是使用運算列表功

能時的規則，因此運算列表左上角的儲存格必須參照到想要模擬的數字
（下個月的利潤）的儲存格才行。

圖 2-18　**點選表格左上角的儲存格** K17

	I	J	K	L	M	N	O
13							
14		下個月的營業利潤模擬					
15		圓					
16					銷售量的成長率		
17			=G12	0%	5%	10%	15%
18		價格	900				
19			950				
20			1,000				
21			1,050				
22			1,100				

圖 2-19　**參照到下個月利潤的儲存格**

	A	B	C	D	E	F	G	H
1								
2				收益計畫				
3						本月	下月	下下月
4				營業收入	圓	1,000,000	1,100,000	1,210,000
5				銷售量	個	1,000	1,100	1,210
6				成長率	%	N/A	10%	10%
7				價格	圓	1,000	1,000	1,000
8				成本	圓	400,000	430,000	463,000
9				材料成本	圓	300,000	330,000	363,000
10				平均材料成本	圓	300	300	300
11				租金	圓	100,000	100,000	100,000
12				利潤	圓	600,000	670,000	747,000

接下來選取表格中的數字範圍，點選「資料」→「模擬分析」→「運算列表」。

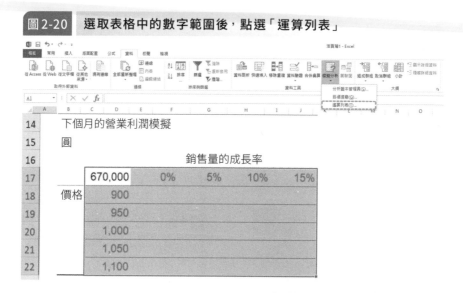

圖2-20　選取表格中的數字範圍後，點選「運算列表」

下個月的營業利潤模擬				
圓				
		銷售量的成長率		
670,000	0%	5%	10%	15%
價格 900				
950				
1,000				
1,050				
1,100				

如此一來，就會出現「運算列表」的視窗（圖2-21）。按照以下內容輸入（圖2-22、2-23）。

圖2-21　輸入視窗

⑴ 列變數儲存格

列就是「橫向的儲存格」。這張運算列表的橫列中輸入的是「銷售量的成長率」，因此參照到收益計畫中的「下個月的銷售量成長率」（儲存格G6）。

⑵ 欄變數儲存格

欄就是「縱向的儲存格」。這張運算列表的直欄中輸入的是「價格」，因此參照到收益計畫中的「下個月的價格」（儲存格G7）。

圖 2-22　列變數儲存格＝下個月的銷售量成長率，欄變數儲存格＝下個月的價格

	A	B C	D	E	F	G	H
1							
2			收益計畫				
3					本月	下月	下下月
4			營業收入	圓	1,000,000	1,100,000	1,210,000
5			銷售量	個	1,000	1,100	1,210
6			成長率	%	N/A	10%	10%
7			價格	圓	1,000	1,000	1,000
8			成本	圓	400,000	430,000	463,000
9			材料成本	圓	300,000	33	00
10			平均材料成本	圓	300		00
11			租金	圓	100,000	1	00
12			利潤	圓	600,000	670,000	747,000

這樣就完成了，瞬間填完所有儲存格的數字。

圖 2-23　敏感度分析完成！

	I	J	K	L	M	N	O
13							
14			下個月的營業利潤模擬				
15			圓				
16					銷售量的成長率		
17			670,000	0%	5%	10%	15%
18		價格	900	500,000	530,000	560,000	590,000
19			950	550,000	582,500	615,000	647,500
20			1,000	600,000	635,000	670,000	705,000
21			1,050	650,000	687,500	725,000	762,500
22			1,100	700,000	740,000	780,000	820,000

最後要消去表格左上角的670,000這個數字，不過一旦刪除數字就無法完成計算，因此這裡可以用「把數字顏色變白」的方式，把數字藏起來（變成看不見的數字）。

圖2-24　隱藏左上角儲存格 K17 的數字

	I	J	K	L	M	N	O
13							
14		下個月的營業利潤模擬					
15		圓					
16					銷售量的成長率		
17				0%	5%	10%	15%
18		價格	900	500,000	530,000	560,000	590,000
19			950	550,000	582,500	615,000	647,500
20			1,000	600,000	635,000	670,000	705,000
21			1,050	650,000	687,500	725,000	762,500
22			1,100	700,000	740,000	780,000	820,000

另外，隱藏數字還有1種方法。

先點選欲隱藏的儲存格，按右鍵→「儲存格格式」→「數值」標籤→在「自訂」的「類型」欄裡輸入「;;;」（3個分號），這樣數字就看不見了。

敏感度分析 ❷ 設定格式化的條件
用「顏色」來判斷數字的變化

接下來繼續介紹敏感度分析。如果要讓塞滿一堆數字的敏感度分析，在視覺上顯得清晰可辨的話，也可以改變儲存格的顏色。如圖2-25所示，大於70萬圓的儲存格設成藍色，小於60萬圓的儲存格設成灰色。如此一來，假如想要實現70萬圓的利潤，那麼一眼就可以看出來有3種選擇：

A方案：價格1,000圓的話，銷售量成長率至少要達到15％
B方案：價格1,050圓的話，銷售量成長率至少要達到10％
C方案：價格1,100圓的話，銷售量成長率至少要達到5％
並且可以做出「其中應以B方案最為實際」的決策。

圖2-25 　用「顏色」來判斷數字的變化

	I	J	K	L	M	N	O
13							
14		下個月的營業利潤模擬					
15		圓					
16					銷售量的成長率		
17				0%	5%	10%	15%
18		價格	900	500,000	530,000	560,000	590,000
19			950	550,000	582,500	615,000	647,500
20			1,000	600,000	635,000	670,000	705,000
21			1,050	650,000	687,500	725,000	762,500
22			1,100	700,000	740,000	780,000	820,000

這種顏色分類法不是用眼睛一個一個去檢查、變更儲存格的顏色，而是使用「設定格式化的條件」的功能。「設定格式化的條件」這種功能可以自動變更符合指定條件儲存格的顏色。設定格式化的條件的使用方法如下：

選定適用的範圍後，點選「常用」→「設定格式化的條件」→「醒目提示儲存格規則」→「大於」。

圖 2-26　設定格式化的條件

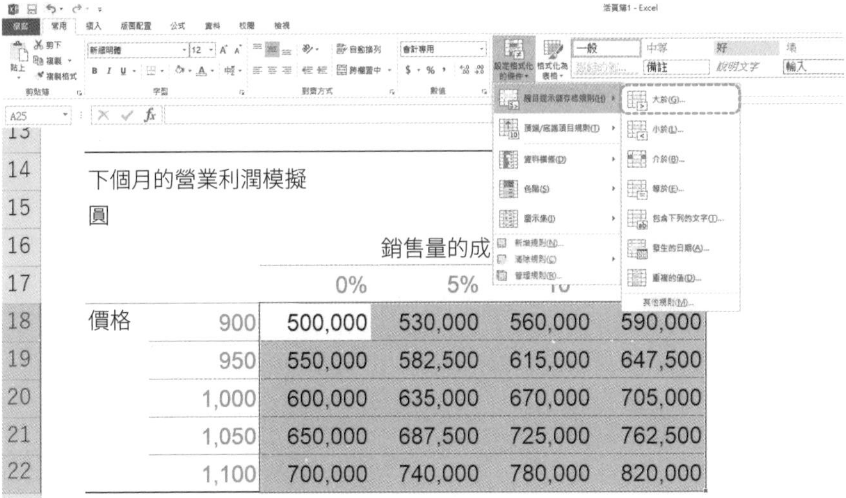

數字的輸入欄填入「700,000」，並選擇想要變更成什麼樣的格式以後，符合條件的儲存格背景色就會改變。在「顯示為」欄位點選「自訂格式」，在跳出來的視窗中點選「填滿」標籤，即可選擇顏色。

圖2-27 大於「700,000」的數字設定為「藍色」

	I	J	K	L	M	N	O
13							
14		下個月的營業利潤模擬					
15		圓					
16					銷售量的成長率		
17				0%	5%	10%	15%
18		價格	900	500,000	530,000	560,000	590,000
19			950	550,000	582,500	615,000	647,500
20			1,000	600,000	635,000	670,000	705,000
21			1,050	650,000	687,500	725,000	762,500
22			1,100	700,000			
23							
24							
25							

同樣地，將數字小於60萬圓的儲存格設為灰色。選定表格的範圍，點選「常用」→「設定格式化的條件」→「醒目提示儲存格規則」→「小於」，再把小於60萬圓的部分設定為灰色就完成了。

圖2-28 小於「600,000」的數字設定為「灰色」，大功告成！

	I	J	K	L	M	N	O
13							
14		下個月的營業利潤模擬					
15		圓					
16					銷售量的成長率		
17				0%	5%	10%	15%
18		價格	900	500,000	530,000	560,000	590,000
19			950	550,000	582,500	615,000	647,500
20			1,000	600,000	635,000	670,000	705,000
21			1,050	650,000	687,500	725,000	762,500
22			1,100	700,000	740,000	780,000	820,000

大型企業併購案中一定會使用的敏感度分析

　　我在外商投資銀行期間，曾參與超過1,000億圓的企業併購案，而在對客戶（在這種情況下是收購方的企業）提出收購金額的時候，提案資料中一定會包含敏感度分析。

　　在簡報時通常不會直接提出特定的收購金額，例如：「要收購XYZ公司的話，需要5,000億圓！」而是會說：「大概的標準是4,500～5,200億圓。」因為收購金額當然也會受到市況的影響。況且如果直接提出5,000億圓的金額，事後又修正為5,250億圓的話，客戶也有可能心生不滿，質疑「為什麼價格上升了？計算錯誤嗎？」從控制客戶期待的角度來說，養成「用範圍說明」數字的習慣是很重要的。

　　接下來要談的是財務用語，也就是收購金額最後大多會使用WACC（加權平均資本成本）與永續成長率（採用現金流量折現法的情況下），而以下這種圖就會刊載在收購金額計算報告的最後。

圖2-29　用WACC與永續成長率，以範圍說明收購價格

	A	B	C	D	E	F
1						
2		XYZ 公司的收購價格				
3		百萬圓			永續成長率	
4				1%	2%	3%
5		WACC	3%	4,750	5,250	5,750
6			4%	4,500	5,000	5,500
7			5%	4,250	4,750	5,250

SECTION 5

敏感度分析 ❸
使用運算列表時的注意事項

使用Excel進行敏感度分析（運算列表）時，請注意以下3點：

⑴ 資料來源的表格與運算列表要放在同一張工作表

在敏感度分析（運算列表）中，必須要有分析的資料來源。以這次的例子來說，就是位在工作表左上方的收益計畫表。這張資料來源的表格與敏感度分析表必須在同一張工作表上，否則無法進行計算。

| 圖2-30 | 2張表格要放在同一張工作表上！ |

收益計畫

		本月	下月	下下月
營業收入	圓	1,000,000	1,100,000	1,210,000
銷售量	個	1,000	1,100	1,210
成長率	%	N/A	10%	10%
價格	圓	1,000	1,000	1,000
成本	圓	400,000	430,000	463,000
材料成本	圓	300,000	330,000	363,000
平均材料成本	圓	300	300	300
租金	圓	100,000	100,000	100,000
利潤	圓	600,000	670,000	747,000

下個月的營業利潤模擬
圓

		銷售量的成長率			
		0%	5%	10%	15%
價格	900	500,000	530,000	560,000	590,000
	950	550,000	582,500	615,000	647,500
	1,000	600,000	635,000	670,000	705,000
	1,050	650,000	687,500	725,000	762,500
	1,100	700,000	740,000	780,000	820,000

⑵ 如果不小心按到「F2」鍵，出現計算式的話，就按「Esc」鍵
復原

第2個要注意的情況是，想要檢視運算列表中的計算式而按下
「F2」鍵的時候。一旦按下「F2」鍵，就會變成像下圖這樣。

一旦按下「F2」鍵……

	I	J	K	L	M	N	O
13							
14		下個月的營業利潤模擬					
15		圓					
16					銷售量的成長率		
17				0%	5%	10%	15%
18		價格	900	500,000	530,000	560,000	590,000
19			950	=TABLE(G6,G7)		615,000	647,500
20			1,000	600,000	635,000	670,000	705,000
21			1,050	650,000	687,500	725,000	762,500
22			1,100	700,000	740,000	780,000	820,000

此時會出現「= TABLE (G6, G7)」，但這樣並不能得知計算是否
正確。使用運算列表的風險就在於，光看計算式並不能檢查計算是否
正確。

如果無可奈何地想要結束
檢視這個式子，準備移動到下
一個作業而按下「Enter」鍵的
話，就會跳出「函數無效」的
錯誤訊息。不管按幾次「Enter」
鍵也只會出現同樣的畫面，無法進行後續的作業。此時，只要按「Esc」
即可復原，請牢記這個方法。

按「Enter」後出現錯誤

Microsoft Excel

⚠ 函數無效。

確定

這裡稍微離題一下，正如前文所述，運算列表存在著無法檢查計算式的問題。我在投資銀行任職期間，還有後來在各種金融機構舉辦研習，都曾碰到有人說：「我們公司禁用運算列表。」或「我計算都不用運算列表，而是自己把算式一個一個輸入儲存格。」

所謂的「金融」就是數字的專家，所以更要讓計算內容沒有一丁點錯誤。運算列表確實是很輕鬆的作業，但看來大家都有很強烈的信念，認為只要對計算結果的正確度沒有自信，就不要使用。

圖2-33 | **不用運算列表計算的話，計算式就會變得如此複雜**

	收益計畫			本月	下月
營業收入		圓		1,000,000	1,100,000
銷售量		個		1,000	1,100
成長率		%		N/A	10%
價格		圓		1,000	1,000
成本		圓		400,000	430,000
材料成本		圓		300,000	330,000
平均材料成本		圓		300	300
租金		圓		100,000	100,000
利潤		圓		600,000	670,000

下個月的營業利潤模擬
圓

		銷售量的成長率			
670,000		0%	5%	10%	15%
價格	900	500,000	530,000	560,000	590,000
	950	550,000	582,500	615,000	647,500
	1,000	=$F$5*(1+O$17)*$K20-$G$10*$F$5*(1+O$17)-$G$11			
	1,050	650,000	687,500	725,000	762,500
	1,100	700,000	740,000	780,000	820,000

⑶ 運算列表計算得很慢的時候，切換成手動計算

實際使用過運算列表功能就知道，凡是包含運算列表的Excel檔案，都有可能碰到檔案跑很慢的問題。尤其當工作表上有多張龐大的運算列表時，甚至會有Excel強制結束的風險。萬一覺得「這張Excel跑得真慢」的話，不妨把計算方法改成「手動計算」。具體來說，就是從Excel上面的「檔案」→「選項」中打開「Excel選項」（圖2-34）。點選視窗左邊的「公式」，然後在「活頁簿計算」中選擇「除運算列表外，自動重算」。

如此一來，運算列表將不會自動運算，Excel就會跑得比較快。那麼想要計算運算列表時又該怎麼做呢？這時只要按「F9」就OK了。

「除運算列表外，自動重算」的設定，在執行複雜財務分析的企業或部門中經常使用。

圖2-34　將活頁簿計算設定為「除運算列表外，自動重算」

SECTION
6
個案分析 ❶
一舉切換模擬條件的絕招

圖2-35　收益模擬應用

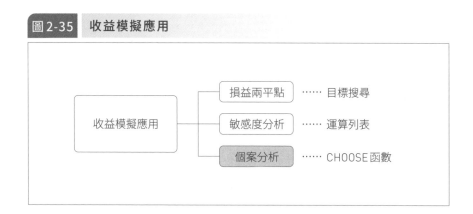

應用篇的最後是個案分析。這是所有市場行銷人員或制定事業計畫的人，務必要掌握的重要技巧。

首先說明個案分析如何運作。在思考廣告投資等市場行銷策略，或制定事業計畫時，一定會先設定幾種不同的個案，比方說樂觀個案、普通個案或悲觀個案。名稱可能有很多種，例如也有人將樂觀個案稱作正面個案、強勢個案或積極個案等等。

在企業併購的世界裡經常使用個案分析，例如要用1,000億圓收購XYZ公司時，投資銀行就會用以下的方式來說明1,000億圓這個金額的合理性。

(1) 設定幾種XYZ公司的未來收益模式（一般是3種）。

(2) 根據最壞狀況（悲觀個案）下的未來收益，所計算出來的企業價值是1,000億圓。

(3) 因此，用1,000億圓收購XYZ公司，從金額來說並不算過高，反而充分具有收購的價值。

此外，個案分析不僅限於企業併購，一般公司也很常用來制定收益計畫。

普通個案其實是最合乎現實的目標。一邊檢視過去的成長，一邊設定「哪個程度的成長應該可以順利達成」的數值，這是最一般的情形。上市櫃公司公布的業績預測大多是使用這個數字。

樂觀個案是更積極的目標，經常被用來當作公司內部的目標，如果可以達成的話，員工可能也會得到很多獎金。此外，由於新事業的收益往往難以預測，因此很多時候只會被納入樂觀個案的計畫中，而不包含在普通個案裡。

悲觀個案是非常保守的目標，在某些公司內部也被稱為「絕對達成線」。這通常使用在財務負責人針對「營收減少的話還能不能支付薪水」、「存款餘額有多少才足夠」等問題進行「防禦性模擬」時。

事業計畫與未來收益的不確定性極高。先設定樂觀個案與悲觀個案，再「在特定範圍內模擬」未來，才能夠「做最好的打算，做最壞的準備」。

圖 2-36　何謂個案分析

(1) 事業計畫的不確定性很高
(2) 所以對未來的預測，用「範圍」去模擬很重要

	悲觀個案	普通個案	樂觀個案
價格	800圓	1,000圓	1,200圓
材料成本（平均）	300圓	500圓	200圓
員工人數	3人	1人	0人
利潤	？	？	？

圖 2-37　設定幾種個案並模擬利潤

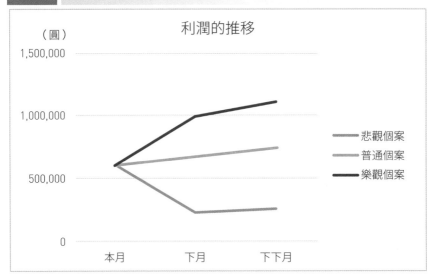

事業計畫大多偏向「樂觀」

以下是我為創投公司經營者舉辦制定事業計畫講座時的事。當我見到參加研習的創投公司成員，對方問道：「創投公司的事業計畫（目標）實際上達成的比例是多少呢？」我明白地告訴對方：「（達成目標的）幾乎是零。」換句話說，創投公司制定的事業計畫幾乎都沒有達成。

創投經營者對於自己推動的事業當然懷抱著夢想與自信，因此一旦夢想被反映在事業計畫中，那份事業計畫就會自動變成積極的計畫。除此之外，剛成立的新事業未來可以發展到什麼程度，也是不透明的訊息。

雖然建立積極的營收目標、為了達成目標而增加人手、租借辦公室，並投入廣告宣傳，但最後連與成本打平的營業收入都無法實現，像這樣破產的案例隨處可見。

在事業計畫（尤其是新事業）中，通常在不確定性愈高的時候，愈應該要確實設想好悲觀個案，妥善執行成本控管或資金調度，並在避免資金不足的前提下，以能夠使企業成長的營運為目標才是。

接下來就根據以下的收益計畫（圖2-38）練習設定 (1) 悲觀個案、
(2) 普通個案與 (3) 樂觀個案，這3種個案吧。

圖2-38　**根據這份收益計畫設定3種個案**

	A B C	D	E	F	G	H
1						
2		收益計畫				
3				本月	下月	下下月
4		營業收入	圓	1,000,000	1,100,000	1,210,000
5		銷售量	個	1,000	1,100	1,210
6		成長率	%	N/A	10%	10%
7		價格	圓	1,000	1,000	1,000
8		成本	圓	400,000	430,000	463,000
9		材料成本	圓	300,000	330,000	363,000
10		平均材料成本	圓	300	300	300
11		租金	圓	100,000	100,000	100,000
12		利潤	圓	600,000	670,000	747,000

此時很多人會想到的方法是，將這張表格複製3份，分別改變每
張表格的價值動因，建立3種個案下的收益計畫（圖2-39），不過這是
絕不可行的方法。

為什麼呢？因為在複製完3張表格之後，假設發現某個計算式有
錯誤，這時當然需要修正計算錯誤的地方，但因為複製了3份表格，
所以該修正的計算錯誤也有3處，此時就有疏忽的風險。

也就是說，複製3張表格的話，計算式的數量也增加至3倍，計算

圖 2-39　絕不可以「把表格複製 3 份」

	A B C	D	E	F	G	H
1						
2	收益計畫					
3	悲觀個案					
4				本月	下月	下下月
5	營業收入		圓	1,000,000	770,000	847,000
6	銷售量		個	1,000	1,100	1,210
7	成長率		%	N/A	10%	10%
8	價格		圓	1,000	700	700
9	成本		圓	400,000	650,000	705,000
10	材料成本		圓	300,000	550,000	605,000
11	平均材料成本		圓	300	500	500
12	租金		圓	100,000	100,000	100,000
13	利潤		圓	600,000	120,000	142,000
14						
15	收益計畫					
16	普通個案					
17				本月	下月	下下月
18	營業收入		圓	1,000,000	1,100,000	1,210,000
19	銷售量		個	1,000	1,100	1,210
20	成長率		%	N/A	10%	10%
21	價格		圓	1,000	1,000	1,000
22	成本		圓	400,000	430,000	463,000
23	材料成本		圓	300,000	330,000	363,000
24	平均材料成本		圓	300	300	300
25	租金		圓	100,000	100,000	100,000
26	利潤		圓	600,000	670,000	747,000
27						
28	收益計畫					
29	樂觀個案					
30				本月	下月	下下月
31	營業收入		圓	1,000,000	1,320,000	1,452,000
32	銷售量		個	1,000	1,100	1,210
33	成長率		%	N/A	10%	10%
34	價格		圓	1,000	1,200	1,200
35	成本		圓	400,000	650,000	705,000
36	材料成本		圓	300,000	550,000	605,000
37	平均材料成本		圓	300	500	500
38	租金		圓	100,000	100,000	100,000
39	利潤		圓	600,000	670,000	747,000

錯誤的可能性也會大幅增加。那麼如果維持1張表格的話，要怎麼製作3種個案呢？接下來就針對這個部分進行說明。

如前所述，收益模型分成計算用的價值動因（藍色的手動輸入數字），與計算式（黑色的數字）2種。依個案而異的數字是價值動因的部分。

因此，只要讓各個案的計算式共通化，單靠開關來切換價值動因（前提條件）的話，不必複製計算式即可製作出3種個案（圖2-40）。

圖2-40　建立3種個案的收益計畫

（A）讓計算式共通化
（B）針對價值動因（前提條件）的部分
（C）用1～3的開關進行切換

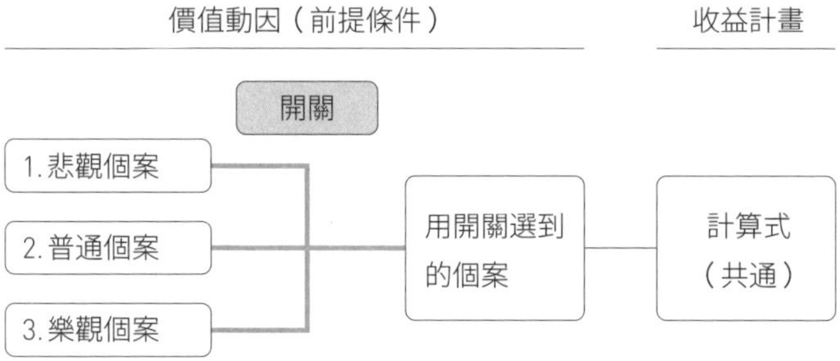

價值動因（前提條件）　　　　　收益計畫

開關

1.悲觀個案
2.普通個案　　　用開關選到的個案　　　計算式（共通）
3.樂觀個案

光聽這些，或許還是有人會覺得「嗯？什麼意思？」那麼以下就來介紹實際上的計算過程。

這次是將價值動因之一的「價格」分成3種個案。

(1) 儲存格A1當中寫著「1」，這個就是開關。

(2) 第6～8列是價值動因（前提條件）之一的「價格」，分成悲觀個案、普通個案與樂觀個案。

(3) 第9列顯示的是由開關「1」所指定「悲觀個案」的價格。

(4) 第18列的價格是參照步驟3中指定的悲觀個案的價格數字。

圖 2-41 設定開關（儲存格A1）＝1時，價格就是悲觀個案的價格

	A B C	D	E	F	G	H
1	1 悲觀個案					
2						
3	價值動因（前提條件）					
4				本月	下月	下下月
5	價格					
6	悲觀個案		圓	1,000	800	800
7	普通個案		圓	1,000	1,000	1,000
8	樂觀個案		圓	1,000	1,200	1,200
9	悲觀個案		圓	1,000	800	800
10						
11						
12	收益計畫					
13	悲觀個案					
14				本月	下月	下下月
15	營業收入		圓	1,000,000	880,000	968,000
16	銷售量		個	1,000	1,100	1,210
17	成長率		%	N/A	10%	10%
18	價格		圓	1,000	800	800
19	成本		圓	400,000	430,000	463,000
20	材料成本		圓	300,000	330,000	363,000
21	平均材料成本		圓	300	300	300
22	租金		圓	100,000	100,000	100,000
23	利潤		圓	600,000	450,000	505,000

接下來，將開關（儲存格A1）切換到「2」。這時第9列的價格會切換成「普通個案」。同時，第18列的價格也會切換成普通個案的1,000圓。

圖2-42　設定開關（儲存格A1）＝2時，價格會切換成普通個案的價格

	A	BC	D	E	F	G	H
1		2	普通個案				
2							
3			價值動因（前提條件）				
4					本月	下月	下下月
5			價格				
6			悲觀個案	圓	1,000	800	800
7			普通個案	圓	1,000	1,000	1,000
8			樂觀個案	圓	1,000	1,200	1,200
9			普通個案	圓	1,000	1,000	1,000
10							
11							
12			收益計畫				
13			普通個案				
14					本月	下月	下下月
15			營業收入	圓	1,000,000	1,100,000	1,210,000
16			銷售量	個	1,000	1,100	1,210
17			成長率	%	N/A	10%	10%
18			價格	圓	1,000	1,000	1,000
19			成本	圓	400,000	430,000	463,000
20			材料成本	圓	300,000	330,000	363,000
21			平均材料成本	圓	300	300	300
22			租金	圓	100,000	100,000	100,000
23			利潤	圓	600,000	670,000	747,000

接下來，再把開關（儲存格A1）切換到「3」。這時，第9列會變成樂觀個案的價格，第18列也會切換成樂觀個案的價格。

像這樣建立切換開關即可切換價值動因的價格，同時切換收益計畫價格的機制，全部只需要1張收益計畫表就夠了，也不需要複製計算式。這就是個案分析最大的好處。

圖 2-43　設定開關（儲存格A1）＝3時，價格會切換成樂觀個案的價格

	A	B	C	D	E	F	G	H
1	3		樂觀個案					
2								
3			價值動因（前提條件）					
4						本月	下月	下下月
5			價格					
6			悲觀個案		圓	1,000	800	800
7			普通個案		圓	1,000	1,000	1,000
8			樂觀個案		圓	1,000	1,200	1,200
9			樂觀個案		圓	1,000	1,200	1,200
10								
11								
12			收益計畫					
13			樂觀個案					
14						本月	下月	下下月
15			營業收入		圓	1,000,000	1,320,000	1,452,000
16			銷售量		個	1,000	1,100	1,210
17			成長率		%	N/A	10%	10%
18			價格		圓	1,000	1,200	1,200
19			成本		圓	400,000	430,000	463,000
20			材料成本		圓	300,000	330,000	363,000
21			平均材料成本		圓	300	300	300
22			租金		圓	100,000	100,000	100,000
23			利潤		圓	600,000	890,000	989,000

以下就來解說個案分析的製作步驟。

圖2-44是完成前的收益模型。各個案的價格（第6～8列）已經輸入數字進去了，但開關（儲存格A1）與第9列的價格還是空白欄。

圖2-44 **接下來輸入開關（儲存格A1）與價格（第9列）進行計算**

	A	B	C	D	E	F	G	H
1								
2								
3				價值動因（前提條件）				
4						本月	下月	下下月
5				價格				
6				悲觀個案	圓	1,000	800	800
7				普通個案	圓	1,000	1,000	1,000
8				樂觀個案	圓	1,000	1,200	1,200
9								
10								
11								
12				收益計畫				
13								
14						本月	下月	下下月
15				營業收入	圓	1,000,000	1,100,000	1,210,000
16				銷售量	個	1,000	1,100	1,210
17				成長率	%	N/A	10%	10%
18				價格	圓	1,000	1,000	1,000
19				成本	圓	400,000	430,000	463,000
20				材料成本	圓	300,000	330,000	363,000
21				平均材料成本	圓	300	300	300
22				租金	圓	100,000	100,000	100,000
23				利潤	圓	600,000	670,000	747,000

步驟 **❶**：輸入開關

首先是製作開關（圖2-45）。**在圖2-46的儲存格A1中輸入「1」。**
這個就是開關。

把A1設為開關有2個理由：

(1) 在工作表上最顯眼的儲存格A1（左上角）設置開關的話，一
看就知道現在選到的是哪個個案。

(2) 只要按「Ctrl」＋「Home」鍵，即可瞬間移動到儲存格A1。
在進行模擬時，很常會切換開關，因此這組快捷鍵很方便。

圖2-45　**個案分析**

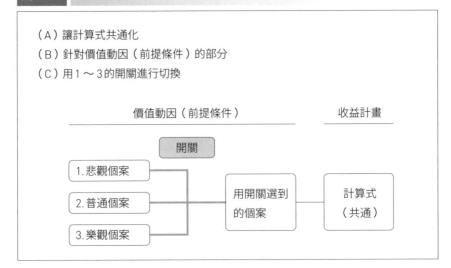

（A）讓計算式共通化
（B）針對價值動因（前提條件）的部分
（C）用1～3的開關進行切換

圖 2-46 **在開關＝儲存格 A1 的地方輸入「1」**

	A	B	C	D	E	F	G	H
1		1						
2								
3			價值動因（前提條件）					
4						本月	下月	下下月
5			價格					
6			悲觀個案		圓	1,000	800	800
7			普通個案		圓	1,000	1,000	1,000
8			樂觀個案		圓	1,000	1,200	1,200
9								

步驟 ❷：計算用開關選到的個案

接下來，建立計算式，用來表示開關選到的個案。

圖 2-47 **個案分析**

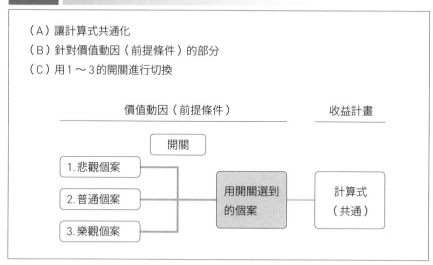

（A）讓計算式共通化
（B）針對價值動因（前提條件）的部分
（C）用1～3的開關進行切換

在圖2-48的儲存格C9中輸入計算式，這是本書中唯一出現的函數：

= CHOOSE(A1, C6, C7, C8)

換句話說就是：

= CHOOSE（開關, 悲觀個案, 普通個案, 樂觀個案）

CHOOSE函數的意義如下：

= CHOOSE（開關, 值1, 值2, …）

首先，開關必須是數字。開關如果是「1」，出現的就是「值1」；開關如果是「2」，出現的就是「值2」。

也就是說，按照儲存格C9中輸入的CHOOSE函數，

⑴ 圖2-49：若開關為「1」→出現儲存格C6的「悲觀個案」文字
⑵ 圖2-50：若開關為「2」→出現儲存格C7的「普通個案」文字
⑶ 圖2-51：若開關為「3」→出現儲存格C8的「樂觀個案」文字

圖2-48 CHOOSE（開關, 悲觀個案, 普通個案, 樂觀個案）

	A	B	C	D	E	F	G	H
1		1						
2								
3			價值動因（前提條件）					
4						本月	下月	下下月
5			價格					
6			悲觀個案		圓	1,000	800	800
7			普通個案		圓	1,000	1,000	1,000
8			樂觀個案		圓	1,000	1,200	1,200
9			=CHOOSE($A$1,C6,C7,C8)					

圖 2-49 由於開關（儲存格 A1）＝1，因此顯示的是悲觀個案

	A	B	C	D	E	F	G	H
1	1							
2								
3		價值動因（前提條件）						
4						本月	下月	下下月
5		價格						
6		悲觀個案			圓	1,000	800	800
7		普通個案			圓	1,000	1,000	1,000
8		樂觀個案			圓	1,000	1,200	1,200
9		悲觀個案						

圖 2-50 由於開關（儲存格 A1）＝2，因此顯示的是普通個案

	A	B	C	D	E	F	G	H
1	2							
2								
3		價值動因（前提條件）						
4						本月	下月	下下月
5		價格						
6		悲觀個案			圓	1,000	800	800
7		普通個案			圓	1,000	1,000	1,000
8		樂觀個案			圓	1,000	1,200	1,200
9		普通個案						

圖 2-51 由於開關（儲存格 A1）＝3，因此顯示的是樂觀個案

	A	B	C	D	E	F	G	H
1	3							
2								
3		價值動因（前提條件）						
4						本月	下月	下下月
5		價格						
6		悲觀個案			圓	1,000	800	800
7		普通個案			圓	1,000	1,000	1,000
8		樂觀個案			圓	1,000	1,200	1,200
9		樂觀個案						

完成CHOOSE函數式後，複製那個儲存格，貼到本月～下下月的儲存格（F9~H9）中（圖2-52）。另外，在複製之前，將計算式修正如下，讓索引值變成絕對參照。

修正前

＝CHOOSE（A1, C6, C7, C8）

修正後

＝CHOOSE（$A$1, C6, C7, C8）

修正後的A1儲存格位址多了＄的符號，這就是絕對參照。有「＄」的列或欄即使被複製，參照的對象也是固定的。若檢視圖2-53，由於CHOOSE函數式中的A1儲存格設為絕對參照，因此即使複製算式，還是會參照到開關（A1）。

若要設定絕對參照，可以先點選儲存格位址再按「F4」鍵，或者也可以手動輸入「＄」。

圖2-52 **複製CHOOSE函數式**

	A	B	C	D	E	F	G	H
1	3							
2								
3			價值動因（前提條件）					
4						本月	下月	下下月
5			價格					
6			悲觀個案		圓	1,000	800	800
7			普通個案		圓	1,000	1,000	1,000
8			樂觀個案		圓	1,000	1,200	1,200
9			樂觀個案		圓			

複製貼上

圖2-53　把儲存格A1設為絕對參照的話，即使複製貼上，參照也不會跑掉

	A	B	C	D	E	F	G	H
1	3							
2								
3		價值動因（前提條件）						
4						本月	下月	下下月
5		價格						
6			悲觀個案		圓	1,000	800	800
7			普通個案		圓	1,000	1,000	1,000
8			樂觀個案		圓	1,000	1,200	1,200
9			樂觀個案		圓	1,000	1,200	1,200

步驟 ❸：將用開關選到的個案反映在收益計畫裡

最後，將用開關選到的個案價值動因，反映在收益計畫裡吧。

圖2-54　個案分析

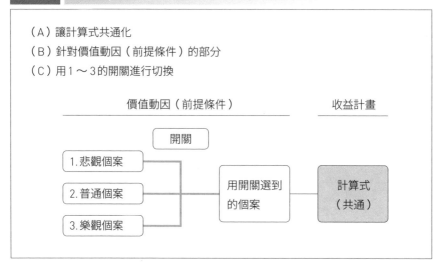

（A）讓計算式共通化
（B）針對價值動因（前提條件）的部分
（C）用1～3的開關進行切換

價值動因（前提條件）　　　　　　　　收益計畫

開關

1.悲觀個案
2.普通個案
3.樂觀個案

用開關選到
的個案

計算式
（共通）

讓收益計畫的價格（第18列）儲存格，參照到選出來的個案價格（第9列）。

這樣個案分析的算式就完成了。只要切換開關（儲存格A1），收益計畫的價格也會自動切換。

圖2-55 **讓用開關選到的個案價格（儲存格F9）反映在收益計畫裡**

	A B C		D	E	F	G	H
1	3						
2							
3			價值動因（前提條件）				
4					本月	下月	下下月
5			價格				
6			悲觀個案	圓	1,000	800	800
7			普通個案	圓	1,000	1,000	1,000
8			樂觀個案	圓	1,000	1,200	1,200
9			樂觀個案	圓	1,000	1,200	1,200
10							
11							
12			收益計畫				
13							
14					本月	下月	下下月
15			營業收入	圓	0	0	0
16			銷售量	個	1,000	1,100	1,210
17			成長率	%	N/A	10%	10%
18			價格	圓	=F9		
19			成本	圓	400,000	430,000	463,000
20			材料成本	圓	300,000	330,000	363,000
21			平均材料成本	圓	300	300	300
22			租金	圓	100,000	100,000	100,000
23			利潤	圓	-400,000	-430,000	-463,000

最後，將開關右邊那一格（儲存格B1）與收益計畫的標題部分
（儲存格B13），設定參照到選出來的個案（儲存格C9）。這樣一來，
就會像圖2-57那樣，一看收益計畫就知道現在是哪個個案。

圖 2-56　**參照到用開關選出來的個案名稱**

	A	B C	D	E	F	G	H
1	3	=C9					
2							
3		價值動因（前提條件）					
4					本月	下月	下下月
5		價格					
6		悲觀個案		圓	1,000	800	800
7		普通個案		圓	1,000	1,000	1,000
8		樂觀個案		圓	1,000	1,200	1,200
9		樂觀個案		圓	1,000	1,200	1,200
10							
11							
12		收益計畫					
13		=C9					
14					本月	下月	下下月
15		營業收入		圓	1,000,000	1,320,000	1,452,000
16		銷售量		個	1,000	1,100	1,210
17		成長率		%	N/A	10%	10%
18		價格		圓	1,000	1,200	1,200
19		成本		圓	400,000	430,000	463,000
20		材料成本		圓	300,000	330,000	363,000
21		平均材料成本		圓	300	300	300
22		租金		圓	100,000	100,000	100,000
23		利潤		圓	600,000	890,000	989,000

圖2-57 一看就知道現在選到的是哪個個案！

	A B C	D	E	F	G	H
1	3	樂觀個案				
2						
3	價值動因（前提條件）					
4				本月	下月	下下月
5	價格					
6	悲觀個案		圓	1,000	800	800
7	普通個案		圓	1,000	1,000	1,000
8	樂觀個案		圓	1,000	1,200	1,200
9	樂觀個案		圓	1,000	1,200	1,200
10						
11						
12	收益計畫					
13	樂觀個案					
14				本月	下月	下下月
15	營業收入		圓	1,000,000	1,320,000	1,452,000
16	銷售量		個	1,000	1,100	1,210
17	成長率		%	N/A	10%	10%
18	價格		圓	1,000	1,200	1,200
19	成本		圓	400,000	430,000	463,000
20	材料成本		圓	300,000	330,000	363,000
21	平均材料成本		圓	300	300	300
22	租金		圓	100,000	100,000	100,000
23	利潤		圓	600,000	890,000	989,000

　　經由以上流程，個案分析就完成了。這次的重點是：**如果能用開關切換價值動因（前提條件），即可藉由這種設計達到共通化，並減少計算錯誤。**

本書的個案分析雖然命名為「樂觀個案、普通個案、悲觀個案」，但稱呼方式其實有很多種。比方說，較常用的像是「正面、基本、反面」等等，常見於貿易公司使用的個案分析中。正面個案指的是營收與利潤都不錯的時候。

　　另一方面，如果是新創企業的話，則會看到有人寫成：「積極、基本、保守」，這是為什麼呢？

　　新創企業重視長期成長更勝於短期利潤，因此只要認為「這個事業會成功！」就會積極投資在設備或行銷成本上，使得短期利潤經常會呈赤字（為了彌補赤字，才會從創業投資等外部資金調度資本）。

　　換句話說，新創企業有時會出現「如果是積極個案，利潤會是負數（虧損）；反之，保守個案的話，利潤則是正數（盈餘）」的情形。

　　如果用「正面個案」來命名的話，可能會有人覺得：「咦？明明是正面個案，為什麼利潤是負數呢？」所以用積極個案來稱呼，會比較合乎邏輯。

個案分析 ❸
增加區分個案的項目

　　前面的例子是將「價格」分成3種個案，此處再介紹當有其他項目也想區分成不同個案時，可以採取什麼方法。

　　這次除了價格，平均材料成本也分成不同個案。首先，像下面這樣將平均材料成本分成3種個案（第11～13列）。接著直接將已經設好的CHOOSE函數式（第9列）複製到第14列。

圖2-58	將第9列的CHOOSE函數複製到第14列

	A	BC	D	E	F	G	H
1		3	樂觀個案				
2							
3			價值動因（前提條件）				
4					本月	下月	下下月
5			價格				
6			悲觀個案	圓	1,000	800	800
7			普通個案	圓	1,000	1,000	1,000
8			樂觀個案	圓	1,000	1,200	1,200
9			樂觀個案	圓	1,000	1,200	1,200
10			平均材料成本				
11			悲觀個案	圓	300	500	500
12			普通個案	圓	300	300	300
13			樂觀個案	圓	300	200	200
14			樂觀個案	圓	300	200	200

複製

然後和剛才一樣，點選收益計畫的平均材料成本（第26列），再參照到選出來的個案平均材料成本（第14列）就完成了。

只要依循這個要領，即可無限增加區分個案的項目。

圖 2-59 讓用開關選出來的個案「平均材料成本」反映在收益計畫裡

	A B C D	E	F	G	H
9	樂觀個案	圓	1,000	1,200	1,200
10	平均材料成本				
11	悲觀個案	圓	300	500	500
12	普通個案	圓	300	300	300
13	樂觀個案	圓	300	200	200
14	樂觀個案	圓	300	200	200
15					
16					
17	收益計畫				
18	樂觀個案				
19			本月	下月	下下月
20	營業收入	圓	1,000,000	1,320,000	1,452,000
21	銷售量	個	1,000	1,100	1,210
22	成長率	%	N/A	10%	10%
23	價格	圓	1,000	1,200	1,200
24	成本	圓	100,000	100,000	100,000
25	材料成本	圓	0	0	0
26	平均材料成本	圓	=F14		
27	租金	圓	100,000	100,000	100,000
28	利潤	圓	900,000	1,220,000	1,352,000

當區分個案的項目愈來愈多，表格也會變得很長，如果長到難以操作的程度，不妨像下面這樣分成2張工作表。

(1) 價值動因（前提條件）的工作表

(2) 收益計畫的工作表

圖 2-60 區分個案的價值動因變多的話，就分成不同的工作表吧！

			本月	下月	下下月	
1	3 樂觀個案					
2						
3	價值動因（前提條件）					
4			本月	下月	下下月	
5	價格					
6	悲觀個案	圓	1,000	800	800	
7	普通個案	圓	1,000	1,000	1,000	
8	樂觀個案	圓	1,000	1,200	1,200	(1)
9	樂觀個案	圓	1,000	1,200	1,200	
10	平均材料成本					
11	悲觀個案	圓	300	500	500	
12	普通個案	圓	300	300	300	
13	樂觀個案	圓	300	200	200	
14	樂觀個案	圓	300	200	200	
15						
16						
17	收益計畫					
18	樂觀個案					
19			本月	下月	下下月	
20	營業收入	圓	1,000,000	1,320,000	1,452,000	
21	銷售量	個	1,000	1,100	1,210	
22	成長率	%	N/A	10%	10%	
23	價格	圓	1,000	1,200	1,200	(2)
24	成本	圓	400,000	320,000	342,000	
25	材料成本	圓	300,000	220,000	242,000	
26	平均材料成本	圓	300	200	200	
27	租金	圓	100,000	100,000	100,000	
28	利潤	圓	600,000	1,000,000	1,110,000	

個案分析 ❺
比較個案

終於要進入個案分析的最後階段了。雖然個案分析的目的是「將所有個案的計算式共通化，以避免計算錯誤」，但這也存在著問題點，就是要檢視不同個案的結果必須切換開關，因此「無法同時檢視不同的個案做比較」。

那麼想要比較個案時，究竟該怎麼做才好？以下就來說明比較的方法。

圖2-61　**如何像這樣比較所有的個案呢？**

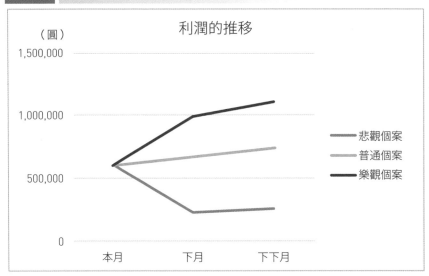

一開始先在收益計畫底下做一張新的「產出」表格（圖2-64的第31〜35列）。

圖2-62 **比較各個案時，需要製作產出的表格**

接下來就先來試做悲觀個案吧（圖2-64）。

圖2-63 **先從悲觀個案開始**

圖2-64 將悲觀個案的利潤複製到產出表格中

	A B C D	E	F	G	H
16					
17	收益計畫				
18	悲觀個案				
19			本月	下月	下下月
20	營業收入	圓	1,000,000	880,000	968,000
21	銷售量	個	1,000	1,100	1,210
22	成長率	%	N/A	10%	10%
23	價格	圓	1,000	800	800
24	成本	圓	400,000	650,000	705,000
25	材料成本	圓	300,000	550,000	605,000
26	平均材料成本	圓	300	500	500
27	租金	圓	100,000	100,000	100,000
28	利潤	圓	600,000	230,000	263,000
29					
30					
31	產出（利潤）				
32			本月	下月	下下月
33	悲觀個案	圓			
34	普通個案	圓			
35	樂觀個案	圓			

複製

依照以下步驟，將悲觀個案的利潤複製到產出表格中。

⑴ 設定開關（儲存格A1）＝1，選出悲觀個案。

⑵ 複製悲觀個案的利潤（第28列）。

⑶ 貼到下方產出表格中的悲觀個案欄位（第33列）。

這裡要注意的是貼上的方法。由於這次要將第28列的利潤「數字」（≠計算式）直接貼在第33列的產出表格中，因此這裡要貼上的是「值」，而非計算式。複製第28列後按右鍵，點選圖2-65的「選擇性貼上」→圖2-66的「值」，即可完成選擇性貼上值。

圖2-65 複製利潤（第28列）後，點選第33列，再按「選擇性貼上」

	A	BC	D	E	F	G	H	I	J	K
16										
17			收益計畫							
18			悲觀個案							
19					本月	下月	下下月			
20			營業收入	圓	1,000,000	880,000	968,000			
21			銷售量	個	1,000	1,100	1,210			
22			成長率	%	N/A	10%	10%			
23			價格	圓	1,000	800	800			
24			成本	圓	400,000	650,000	705,000			
25			材料成本	圓	300,000	550,000	605,000			
26			平均材料成本	圓	300	500	500			
27			租金	圓	100,000	100,000	100,000			
28			利潤	圓	600,000	230,000	263,000			
29										
30										
31			產出（利潤）							
32					本月	下月	下下月			
33			悲觀個案	圓						
34			普通個案	圓						
35			樂觀個案	圓						

（右鍵選單）
- 剪下(T)
- 複製(C)
- 貼上選項：
- 選擇性貼上(S)...
- 插入複製的儲存格...
- 刪除(D)...
- 清除內容(N)
- 快速分析(Q)
- 篩選(E)
- 排序(O)
- 插入註解(M)
- 儲存格格式(F)...
- 從下拉清單挑選(K)...
- 顯示注音標示欄位(S)...
- 定義名稱(A)...
- 超連結(I)...

圖2-66 選擇性貼上「值」

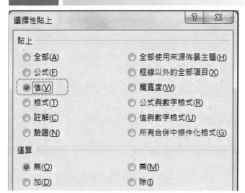

選擇性貼上

貼上
- ○ 全部(A)
- ○ 公式(F)
- ● 值(V)
- ○ 格式(T)
- ○ 註解(C)
- ○ 驗證(N)
- ○ 全部使用來源佈景主題(H)
- ○ 框線以外的全部項目(X)
- ○ 欄寬度(W)
- ○ 公式與數字格式(R)
- ○ 值與數字格式(U)
- ○ 所有合併中條件化格式(G)

運算
- ● 無(O)
- ○ 加(D)
- ○ 乘(M)
- ○ 除(I)

此外，如果想貼上值與格式（顯示千分位分隔符號）的話，就選擇圖2-66的「值與數字格式」。

圖2-67	完成悲觀個案的數字！

	A	B	C	D	E	F	G	H
16								
17		收益計畫						
18		悲觀個案						
19						本月	下月	下下月
20		營業收入			圓	1,000,000	880,000	968,000
21			銷售量		個	1,000	1,100	1,210
22			成長率		%	N/A	10%	10%
23			價格		圓	1,000	800	800
24		成本			圓	400,000	650,000	705,000
25			材料成本		圓	300,000	550,000	605,000
26			平均材料成本		圓	300	500	500
27			租金		圓	100,000	100,000	100,000
28		利潤			圓	600,000	230,000	263,000
29								
30								
31		產出（利潤）						
32						本月	下月	下下月
33		悲觀個案			圓	600,000	230,000	263,000
34		普通個案			圓			
35		樂觀個案			圓			

接下來是普通個案。將開關切換到「2」以後，收益計畫就會變成普通個案。複製普通個案的利潤後，和剛才一樣，在產出表格中選擇性貼上「值」（圖2-68、69）。

樂觀個案也一樣。將開關切換到「3」，再把樂觀個案的利潤貼上至產出表格中（圖2-70、71）。

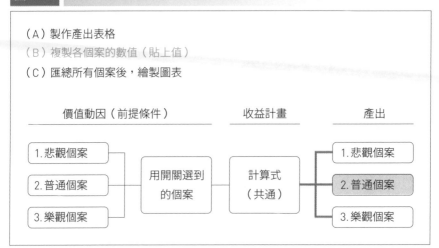

圖 2-68 製作「普通個案」的產出表格

（A）製作產出表格

（B）複製各個案的數值（貼上值）

（C）匯總所有個案後，繪製圖表

價值動因（前提條件）	收益計畫	產出
1.悲觀個案		1.悲觀個案
2.普通個案	用開關選到的個案	計算式（共通）	2.普通個案
3.樂觀個案		3.樂觀個案

圖 2-69 開關設定為「2」＝切換到普通個案後，複製貼上

	A B C	D	E	F	G	H
16						
17	收益計畫					
18	普通個案					
19				本月	下月	下下月
20	營業收入		圓	1,000,000	1,100,000	1,210,000
21	銷售量		個	1,000	1,100	1,210
22	成長率		%	N/A	10%	10%
23	價格		圓	1,000	1,000	1,000
24	成本		圓	400,000	430,000	463,000
25	材料成本		圓	300,000	330,000	363,000
26	平均材料成本		圓	300	300	300
27	租金		圓	100,000	100,000	100,000
28	利潤		圓	600,000	670,000	747,000
29						
30						
31	產出（利潤）					
32				本月	下月	下下月
33	悲觀個案		圓	600,000	230,000	263,000
34	普通個案		圓	600,000	670,000	747,000
35	樂觀個案		圓			

複製

圖 2-70 「樂觀個案」的產出表格

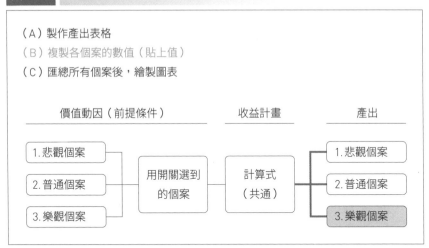

（A）製作產出表格

（B）複製各個案的數值（貼上值）

（C）匯總所有個案後，繪製圖表

價值動因（前提條件）		收益計畫		產出
1.悲觀個案	用開關選到的個案	計算式（共通）		1.悲觀個案
2.普通個案				2.普通個案
3.樂觀個案				3.樂觀個案

圖 2-71 開關設定為「3」＝切換到樂觀個案後，複製貼上

		E	本月	下月	下下月
收益計畫					
樂觀個案					
			本月	下月	下下月
營業收入		圓	1,000,000	1,320,000	1,452,000
銷售量		個	1,000	1,100	1,210
成長率		%	N/A	10%	10%
價格		圓	1,000	1,200	1,200
成本		圓	400,000	320,000	342,000
材料成本		圓	300,000	220,000	242,000
平均材料成本		圓	300	200	200
租金		圓	100,000	100,000	100,000
利潤		圓	600,000	1,000,000	1,110,000
產出（利潤）					
			本月	下月	下下月
悲觀個案		圓	600,000	230,000	263,000
普通個案		圓	600,000	670,000	747,000
樂觀個案		圓	600,000	1,000,000	1,110,000

複製

最後，將產出表格中所有個案的利潤匯總為圖就完成了。

圖2-72 **最後用圖表匯總就完成了！**

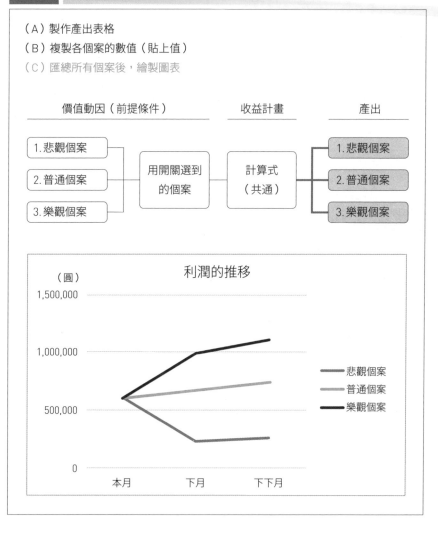

（A）製作產出表格

（B）複製各個案的數值（貼上值）

（C）匯總所有個案後，繪製圖表

循環參照
收益模型的矛盾與解決技巧

　　前面介紹完損益兩平點、敏感度分析與個案分析，在應用篇的最後，則要說明有關「循環參照」的問題。循環參照會發生在建立收益模型時。

　　舉例來說，在年度接近尾聲，幾乎可以預見本年度收益狀況時，老闆這樣對你說：

　　「本年度也只剩2個月了，我希望員工可以再加把勁，所以我決定宣布將今年利潤的10％發給員工當獎金。我想請你幫忙製作收益預測表，將這筆要發放的獎金反映在裡面。」

圖2-73	把獎金放進收益預測內

	A	B	C	D	E	F
1						
2		收益預測				
3					本年度	
4		營業收入		千圓	500,000	
5		價格		圓	1,000	
6		銷售量		千個	500	
7		成本		千圓	300,000	
8		材料成本		千圓	100,000	
9		薪資		千圓	200,000	
10		利潤		千圓	200,000	

你在成本項目中新增「獎金」，計算的金額為利潤×10％。

獎金＝利潤×10％

	A	B	C	D	E	F
1						
2		收益預測				
3					本年度	
4		營業收入		千圓	500,000	
5		價格		圓	1,000	
6		銷售量		千個	500	
7		成本		千圓	300,000	
8		材料成本		千圓	100,000	
9		薪資		千圓	200,000	
10		獎金		千圓	=E11*10%	
11		利潤		千圓	200,000	

此外，成本的合計（第7列）也加進獎金。

在成本中加入獎金的話……

	A	B	C	D	E	F
1						
2		收益預測				
3					本年度	
4		營業收入		千圓	500,000	
5		價格		圓	1,000	
6		銷售量		千個	500	
7		成本		千圓	=E8+E9+E10	
8		材料成本		千圓	100,000	
9		薪資		千圓	200,000	
10		獎金		千圓	20,000	
11		利潤		千圓	200,000	

這時，畫面會跳出以下的錯誤訊息。

圖 2-76　循環參照錯誤 (1)

按下「確定」檢視表格，會出現圖2-77中的藍色箭頭，合計成本的儲存格（E7）也會變成0。這就是循環參照錯誤。

圖 2-77　循環參照錯誤 (2)

	A	B	C	D	E	F
1						
2		收益預測				
3					本年度	
4		營業收入		千圓	500,000	
5		價格		圓	1,000	
6		銷售量		千個	500	
7		成本		千圓	0	
8		材料成本		千圓	100,000	
9		薪資		千圓	200,000	
10		獎金		千圓	20,000	
11		利潤		千圓	200,000	

所謂的循環參照錯誤，舉例來說，如果有個式子是：

A＝B＋100

由於

⑴ 必須知道B是多少，才能確定A是多少

⑵ 必須知道A是多少，才能確定B是多少

因此無法得知A與B的答案。這種因為2個儲存格互相參照而引起的錯誤，就稱作循環參照錯誤。

那麼這次的個案又為什麼會發生循環參照呢？請見圖2-78。

(1) 由於要將利潤的10％用來支付獎金，因此計算的流程變成「知道利潤以後，才能確定獎金是多少」。

(2) 另一方面，也有一部分的計算是知道獎金以後，才能確定成本是多少，也才能確定利潤是多少。

這裡的1與2相互矛盾。如果不知道利潤是多少，就無法確定獎金是多少；反之，如果不知道獎金是多少，就無法確定利潤是多少。當計算按照這種方式循環下去，就會發生循環參照。

图2-78　**循環參照發生的理由**

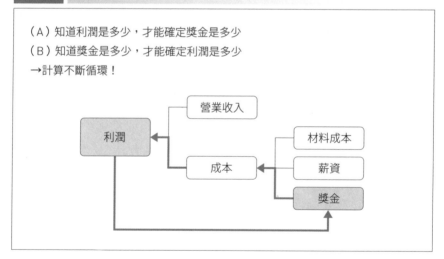

（A）知道利潤是多少，才能確定獎金是多少
（B）知道獎金是多少，才能確定利潤是多少
→計算不斷循環！

利潤
營業收入
成本
材料成本
薪資
獎金

那麼當這種循環參照錯誤發生時，該如何處理比較好？其實碰到這種循環參照的問題，只要使用「反覆運算」即可解決。也就是進行反覆的運算，直到解出符合前述1與2條件的獎金金額為止。

執行反覆運算的功能，需要從Excel的「檔案」→「選項」打開Excel選項，再點選畫面左邊的「公式」，然後在右邊的「啟用反覆運算」方塊中打勾。

圖 2-79 循環參照錯誤可用「反覆運算」來解決！

啟用反覆運算後，獎金金額就會像圖2-80這樣計算出「18,182」的結果，利潤則是181,818。這樣獎金就剛好等於利潤×10％了。

圖2-80　用反覆運算解出獎金

	A	B	C	D	E	F
1						
2		收益預測				
3					本年度	
4		營業收入		千圓	500,000	
5			價格	圓	1,000	
6			銷售量	千個	500	
7		成本		千圓	318,182	
8			材料成本	千圓	100,000	
9			薪資	千圓	200,000	
10			獎金	千圓	18,182	
11		利潤		千圓	181,818	

獎金正好
＝利潤×10％

　　這類看起來存在矛盾的計算，有時也可用反覆運算來解決（當然也會有必須修正算式才能解決的情況）。

　　不過和敏感度分析一樣，這個反覆運算功能也是造成Excel運作變慢的原因之一，因此使用太多的話，檔案會變得很難運作。

　　這次的個案是為了「正確無誤地」支付利潤的10％當作獎金，才使用反覆運算功能計算出獎金18,182千圓這個答案，但如果「大約10％」也可以的話，只要手動輸入18,000千圓在獎金項目裡就夠了。

收益模擬請盡量以「不過於簡略，也不過於精確」為目標吧。

03

制定收益計畫

根據過去實績預測未來事業的技術

如何制定收益計畫？

前一章解說了如何將簡單的商業計畫放進Excel中，還有進行收益模擬的技巧，本章將進一步解說如何制定收益計畫。

如果是日後將成立的新事業，那麼收益計畫的製作很簡單，只要按照收益結構（魚骨圖）拆解商業模式，然後預測價值動因，即可製作收益計畫。然而，很多時候需要製作收益計畫的並不是新事業，而是既有的事業。

然後要預測既有事業的未來，必須參考過去的實績，討論明年大約要以多少的營業收入為目標。

| 圖 3-1 | 這次的主題 |

根據過去的實績，製作未來的收益計畫

ABCD	E	F	I	J	K	L	M	N	O	P
1										
2	收益計畫									
3					實績 ←|→明年計畫					
4			10月	11月	12月	1月	2月	3月	4月	5月
5	營業收入	圓	650,000	550,000	1,100,000	851,613	928,125	1,000,000	1,067,647	1,131,429
6	價格	圓	1,000	1,000	1,000	1,100	1,100	1,100	1,100	1,100
7	銷售量	個	650	550	1,100	774	844	909	971	1,029
8	年底促銷	個	0	0	400	0	0	0	0	0
9	年底促銷以外	個	650	550	700	774	844	909	971	1,029
10	平均廣告費用	圓	308	318	300	310	320	330	340	350
11	成本	圓	524,250	473,000	689,500	581,935	633,672	684,091	733,309	781,429
12	材料成本	圓	224,250	198,000	379,500	241,935	263,672	284,091	303,309	321,429
13	平均材料成本	圓	345	360	345	313	313	313	313	313
14	平均材料成本	美元	3.0	3.0	3.0	2.5	2.5	2.5	2.5	2.5
15	匯率（兌1美元）	圓	115	120	115	125	125	125	125	125
16	銷售量	個	650	550	1,100	774	844	909	971	1,029
17	廣告費用	圓	200,000	175,000	210,000	240,000	270,000	300,000	330,000	360,000
18	比前月增加	圓				30,000	30,000	30,000	30,000	30,000
19	其他成本	圓	100,000	100,000	100,000	100,000	100,000	100,000	100,000	100,000
20	利潤	圓	125,750	77,000	410,500	269,677	294,453	315,909	334,338	350,000

如圖3-2所示，制定收益計畫的步驟大致分成2個部分。

⑴ 分析過去的實績

　① 拆解實績：如同第一章所解說的「營業收入＝價格 × 銷售
量」，逐一拆解要素（魚骨圖）。

　② 掌握數字的連動：若要製作收益模型，掌握數字之間的連
動很重要。這次使用的是相關分析。

⑵ 製作未來的計畫

　③ 預測未來：從多種觀點進行預測，例如與競爭對手的比較
等等。

　④ 確認合理性：針對制定好的計畫確認其合理性，即「整體
看來是否能夠接受」。即使每項價值動因的預測都合乎邏
輯，但還是要注意，合計的營業收入不能顯得太過樂觀或
太過保守。

圖3-2　制定收益計畫的步驟

本章的個案如圖3-3所示：飾品業，從國外製造商進口材料，在網路上銷售，運用網路廣告提高銷售量。接下來就一起來制定這項事業的收益計畫吧。

圖3-3　**個案研究**

(1) 飾品銷售事業
　　（A）以3美元的價格從國外進口材料
　　（B）用1,000圓的價格在網路上銷售
　　（C）在網路上投放的廣告費用愈高，銷售量愈多
　　　　a.但每年年底的促銷（聖誕節）大約可以多賣400個

(2) 根據過去5個月的銷售實績，製作未來5個月的計畫
　　（A）價格似乎可以從1,000圓向上調漲
　　（B）希望可以增加銷售量，然後大批採購材料，以降低材料成本

SECTION 2

制定收益計畫的步驟❶ 拆解過去的實績

首先，整理一下過去的實績，將這次的商業模式套入收益結構（魚骨圖）。

圖 3-4　制定收益計畫的步驟

(1) 分析過去的實績		(2) 製作未來的計畫	
❶ 實績的拆解 ▶	❷ 連動 ▶	❸ 預測未來 ▶	❹ 確認合理性
魚骨圖	**相關分析**	**調查、比較、策略**	**確認計畫數值**
營業收入 ＝價格×銷售量 成本 ＝材料成本＋廣告費用	廣告費用vs銷售量 季節因素 暫時性因素	問卷調查 同類比較 與過去比較 經營策略 不可控因素	對象使用者 市場規模 市場成長性 同類比較

收益結構（魚骨圖）如圖3-5所示，而將魚骨圖化為收益模型（Excel）的，則是圖3-6。藍色的數字是價值動因（即圖3-5的藍色項目）。

圖3-5 **財務模型設計圖（魚骨圖）**

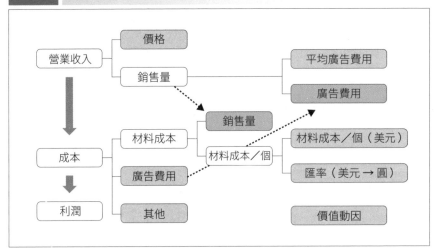

圖3-6 **將魚骨圖化為Excel收益模型**

			8月	9月	10月	11月	12月	1月	2月
2 收益計畫									
3							實績 ←→明年計畫		
5 營業收入		圓	400,000	500,000	650,000	550,000	1,100,000		
6 價格		圓	1,000	1,000	1,000	1,000	1,000		
7 銷售量		個	400	500	650	550	1,100		
11 成本		圓	332,000	422,500	524,250	473,000	689,500		
12 材料成本		圓	132,000	172,500	224,250	198,000	379,500		
13 平均材料成本		圓	330	345	345	360	345		
14 平均材料成本		美元	3.0	3.0	3.0	3.0	3.0		
15 匯率（兌1美元）		圓	110	115	115	120	115		
16 銷售量		個	400	500	650	550	1,100		
17 廣告費用		圓	100,000	150,000	200,000	175,000	210,000		
19 其他成本		圓	100,000	100,000	100,000	100,000	100,000		
20 利潤		圓	68,000	77,500	125,750	77,000	410,500		

制定收益計畫的步驟 ❷
檢查數字的連動

　　製作收益模型時，掌握數字之間的連動很重要。例如前頁圖3-5的收益結構，營業收入是用價格×銷售量計算出來的。換句話說，銷售量愈多，營業收入也會愈高，感覺沒有什麼不合理的地方。

　　然而，圖3-7的「在網路上投放的廣告費用愈高，銷售量愈多」，真的是這樣嗎？說不定銷售量增加的主因並不在廣告，**或許一切只是偏見，認為投放的廣告費用愈高，銷售量「應該」會增加才對。**

　　制定收益計畫時，如果讓乍看之下相關、**實際上只是「偏見」的數字連動，會使未來預測的精確度變差。**例如像這樣的假說：

圖 3-7　「在網路上投放的廣告費用愈高，銷售量愈多」是真的嗎？

⑴ 飾品銷售事業

　　（A）以3美元的價格從國外進口材料

　　（B）用1,000圓的價格在網路上銷售

　　（C）在網路上投放的廣告費用愈高，銷售量愈多

　　　　a.但每年年底的促銷（聖誕節）大約可以多賣400個

⑵ 根據過去5個月的銷售實績，製作未來5個月的計畫

　　（A）價格似乎可以從1,000圓向上調漲

　　（B）希望可以增加銷售量，然後大批採購材料，以降低材料成本

- 業務員愈多，營業收入「應該」也會愈多
- 投放電視廣告，營業收入「應該」也會增加
- 飯店的設備愈好，回客率「應該」也會愈高

　　那麼要判斷這些數字究竟「該不該連動」，應該怎麼做才好呢？其中一種思考方式就是「相關分析」。

　　相關分析是「檢視過去的趨勢，如果2個數字的關係性（相關）很強，未來肯定也會相關」的分析手法。當然，因為是未來的事情，所以無法保證數字絕對會連動，但如果過去的資料確實連動，說服力就會大幅提升。

图 3-8　制定收益計畫的步驟

(1) 分析過去的實績		(2) 製作未來的計畫	
❶ 實績的拆解	❷ 連動	❸ 預測未來	❹ 確認合理性
魚骨圖	相關分析	調查、比較、策略	確認計畫數值
營業收入 ＝價格 × 銷售量 成本 ＝材料成本＋廣告 　　　　費用	廣告費用 vs 銷售量 季節因素 暫時性因素	問卷調查 同類比較 與過去比較 經營策略 不可控因素	對象使用者 市場規模 市場成長性 同類比較

制定收益計畫的步驟 ❸
什麼是相關分析？

所謂的相關分析，具體來說究竟是怎麼一回事呢？

• 業務員愈多，營業收入「應該」也會愈多

為了檢驗這樣的假設是否符合現實，必須確認過去的趨勢。假設匯總過去5年來，每年的業務員人數（橫軸）與營業收入（縱軸），得到的是圖3-9。此外，如果用視覺呈現的「趨勢線」（虛線）來表現圖表中各個點（資料）所呈現的趨向，那麼趨勢線看起來是向右上方延伸。換句話說，若檢視過去5年的趨勢，似乎可以說業務員愈多，營業收入也愈多。

圖3-9	業務員愈多，營業收入愈多→相關性強

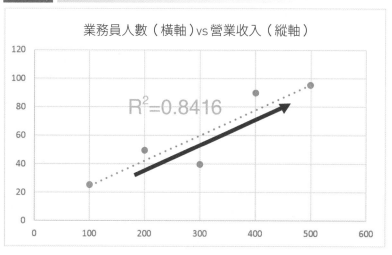

除此之外，圖3-9上寫著 $R^2 = 0.8416$。R^2 是顯示相關性有多高的指標。一般而言，只要超過0.5，也就是50％，就代表有相關，若高到 $70 \sim 80$％的話，相關性更高。

在進行相關分析時，需要留意以下3點：

⑴ 相關分析是「數字的檢驗」＋「合理的假說」

首先是很有自信地認為「R^2 很高就絕對相關」的情形。舉例而言，假如販賣珠寶的市場行銷人員主張說：「觀察日本市場可以發現，啤酒的銷售量與珠寶的銷售量呈現高度相關，所以我們也來販賣啤酒吧！」究竟這2者之間有沒有強烈的因果關係呢？至少我個人看不出任何端倪。或許只是景氣好的時候，啤酒的銷售量增加，珠寶的銷售量也增加而已。如果是這樣的話，真正相關的只有 ⑴ 景氣與啤酒銷售量、⑵ 景氣與珠寶銷售量。而珠寶銷售量應該不會因為啤酒賣得好就增加吧？在執行相關分析時，不能只著重於 R^2 這個數字，也必須建立可以讓人接受其根據的「合理假說」才行。

⑵ 根據有限的資料進行決策

在執行相關分析時，經常會發生樣本數是否充足的問題。例如在前述業務員人數與營業收入的關係中，樣本數（點的數量）只有5個而已。在這種情況下，即使只有1個數字不一樣，R^2 的數字也會改變。

在商業第一線經常發生的是，基於「樣本數太少，無法判斷，暫且先累積實績資料，直到收集到可以預測未來的必要樣本數為止」等原因，延後製作未來計畫的時程。這是相當棘手的問題，我當然也能夠理解負責人想要進行正確分析的心理，但如果要等到樣本數收集完

成，也有可能面臨一些機會成本風險，例如耽誤未來計畫的制定或各種商業策略的執行。**有時即使必要的樣本數不夠充足，但根據有限的資料進行決策也很重要。**

⑶ 辨別季節因素與暫時性因素

　　過去的營業收入資料當中包含著各種因素，或許是業務員增加了，營業收入才跟著增加；也或許是剛好碰到年底促銷才增加（季節因素）；又或者是因為2021年舉辦奧運，觀光客才大幅增加（暫時性因素）。進行相關分析時，如果使用這些參雜季節因素或暫時性因素的數字，恐怕很難找出相關關係，因此必須先確實釐清各種因素再進行分析（詳見下個單元的解說）。

圖3-10	季節因素與暫時性因素

⑴ 季節因素
　（A）年底促銷
　（B）夏天飲料賣得比較好

⑵ 暫時性因素
　（A）2011年：東日本大地震
　（B）2014年：消費稅增稅
　（C）2021年：奧運的觀光客增加

➡ 在財務模型中，必須先將這些因素區分出來，再讓數字連動。
　（藉由相關分析，可以釐清這些因素）

制定收益計畫的步驟 ❹
用 Excel 進行相關分析

接下來，試著用 Excel 驗證看看「在網路上投放的廣告費用愈高，銷售量愈多」的假說吧。

圖 3-11　**「在網路上投放的廣告費用愈高，銷售量愈多」是真的嗎？**

⑴ 飾品銷售事業
　（A）以 3 美元的價格從國外進口材料
　（B）用 1,000 圓的價格在網路上銷售
　（C）在網路上投放的廣告費用愈高，銷售量愈多
　　　a.但每年年底的促銷（聖誕節）大約可以多賣 400 個

⑵ 根據過去 5 個月的銷售實績，製作未來 5 個月的計畫
　（A）價格似乎可以從 1,000 圓向上調漲
　（B）希望可以增加銷售量，然後大批採購材料，以降低材料成本

首先，點選銷售量（第 7 列），然後按住「Ctrl」鍵，再點選廣告費用（第 17 列）。

圖 3-12　點選銷售量與廣告費用的儲存格

ABCD	E	F	G	H	I	J	K	L
1								
2	收益計畫							
3							實績 ←→明年計畫	
4			8月	9月	10月	11月	12月	1月
5	營業收入	圓	400,000	500,000	650,000	550,000	1,100,000	
6	價格	圓	1,000	1,000	1,000	1,000	1,000	
7	銷售量	個	400	500	650	550	1,100	
11	成本	圓	332,000	422,500	524,250	473,000	689,500	
12	材料成本	圓	132,000	172,500	224,250	198,000	379,500	
13	平均材料成本	圓	330	345	345	360	345	
14	平均材料成本	美元	3.0	3.0	3.0	3.0	3.0	
15	匯率（兌1美元）	圓	110	115	115	120	115	
16	銷售量	個	400	500	650	550	1,100	
17	廣告費用	圓	100,000	150,000	200,000	175,000	210,000	
19	其他成本	圓	100,000	100,000	100,000	100,000	100,000	
20	利潤	圓	68,000	77,500	125,750	77,000	410,500	

點選「插入」→「圖表」→「散佈圖」。

圖 3-13　建立散佈圖

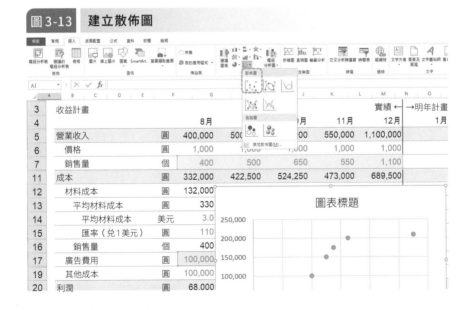

此時，會出現像圖3-14的散佈圖。橫軸為銷售量，縱軸為廣告費用。

圖3-14 散佈圖：橫軸為銷售量，縱軸為廣告費用

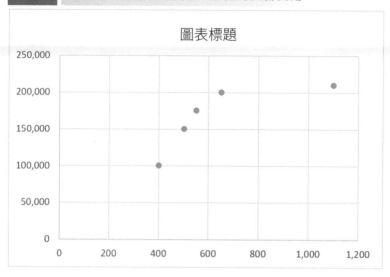

在藍點上按右鍵→選擇「加上趨勢線」來繪製趨勢線。

圖3-15 加上趨勢線

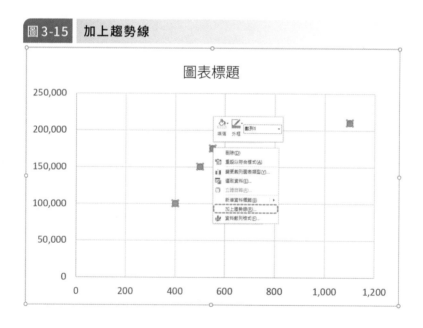

這時，會自動跳出圖3-16，在「圖表上顯示R平方值」打勾以後，就會如圖3-17所示，顯示出趨勢線與R^2的數值。

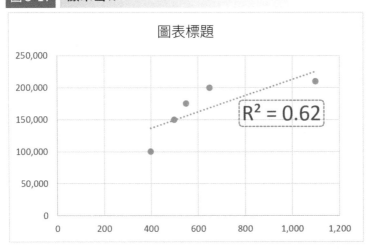

圖 3-16　讓 R^2 顯示在圖表上

趨勢線格式　　　▾ ✕

趨勢線選項 ▾

◇　⬠　▮▮

▲ 趨勢線選項

○ 指數(X)

◉ 線性(L)

○ 對數(O)

○ 多項式(P)　　冪次(D)　2 ⬍

○ 乘

○ 移動平　　週期(E)　2 ⬍

趨勢線名稱

◉ 自動(A)　　線性(數列1)

○ 自訂(C)

趨勢預測

正推(F)　　　0.0　　週期

倒推(B)　　　0.0　　週期

☐ 設定截距(S)　　0.0

☐ 圖表上顯示公式(E)

☑ 圖表上顯示 R 平方值(R)

圖 3-17　顯示出 R^2

圖表標題

$R^2 = 0.62$

那麼銷售量與廣告費用的相關性有多高呢？從這張散佈圖的R^2來看，上面顯示的是0.62，也就是62％。這個數字絕不算低，但也說不上太高。

圖3-18　$R^2 = 62\%$，**相關性並沒有那麼強……？**

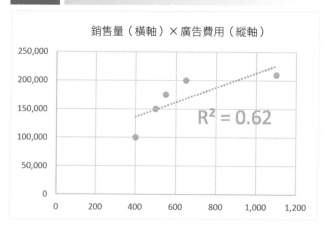

話雖如此，如果就此認定廣告費用與銷售量毫不相關，恐怕也太早下定論了。這裡希望各位注意的是散佈圖最右邊的點，看起來只有這個點比其他點向右偏離許多。

圖3-19　**銷售量與廣告費用的關係中有異常值？**

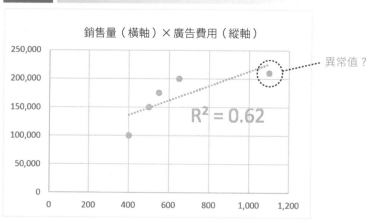

如果有「看似異常」的資料，那就要思考背景成因。這個異常值是12月的銷售量，可見是因為年底促銷使銷售量變得特別高（季節因素），才會如此偏向圖表的右邊。

圖 3-20　異常值的原因是年底促銷

> **(1) 飾品銷售事業**
> 　（A）以3美元的價格從國外進口材料
> 　（B）用1,000圓的價格在網路上銷售
> 　（C）在網路上投放的廣告費用愈高，銷售量愈多
> 　　　a.但每年年底的促銷（聖誕節）大約可以多賣400個
>
> **(2) 根據過去5個月的銷售實績，製作未來5個月的計畫**
> 　（A）價格似乎可以從1,000圓向上調漲
> 　（B）希望可以增加銷售量，然後大批採購材料，以降低材料成本

如此一來，由於這個年底促銷的銷售量與廣告費用無關，因此需要檢驗相關性的，只剩下「年底促銷以外的銷售量與廣告費用」。因此，將銷售量拆解成「年底促銷」（第8列）與「年底促銷以外」（第9列）。

圖 3-21　年底促銷以外的銷售量與廣告費用的相關性？

			8月	9月	10月	11月	實績 ← 12月	→明年計畫 1月
收益計畫								
營業收入	圓		400,000	500,000	650,000	550,000	1,100,000	
價格	圓		1,000	1,000	1,000	1,000	1,000	
銷售量	個		400	500	650	550	1,100	
年底促銷	個		0	0	0	0	400	
年底促銷以外	個		400	500	650	550	700	
平均廣告費用	圓		250	300	308	318	300	
成本	圓		332,000	422,500	524,250	473,000	689,500	
材料成本	圓		132,000	172,500	224,250	198,000	379,500	
平均材料成本	圓		330	345	345	360	345	
平均材料成本	美元		3.0	3.0	3.0	3.0	3.0	
匯率（兌1美元）			110	115	115	120	115	
銷售量	個		400	500	650	550	1,100	
廣告費用	圓		100,000	150,000	200,000	175,000	210,000	
其他成本	圓		100,000	100,000	100,000	100,000	100,000	
利潤	圓		68,000	77,500	125,750	77,000	410,500	

此時檢驗相關性會發現，R^2的數值如圖3-22所示，高達96％。由此可知，排除年底促銷的話，銷售量與廣告費用具有強烈的相關性（＝廣告費用增加，銷售量也會隨之增加）。

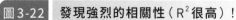

圖3-22　發現強烈的相關性（R^2很高）！

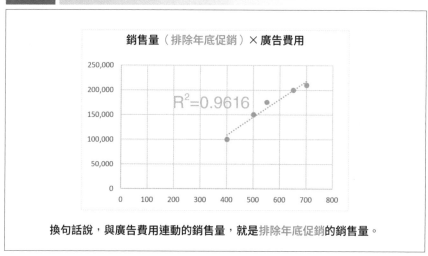

換句話說，與廣告費用連動的銷售量，就是排除年底促銷的銷售量。

　　根據這個相關分析的結果，財務模型設計圖（魚骨圖）的銷售量可以分成年底促銷與促銷以外的銷售量，而年底促銷以外的銷售量則修正成與廣告費用連動的銷售量（圖3-24）。

　　如上所述，藉由反覆進行這些步驟：

⑴ 建立哪些數值互相連動的假說。

⑵ 用相關分析檢驗過去的數值。

⑶ 如果找到相關性，就修正財務模型設計圖（魚骨圖）。

逐步製作出精確度高的未來預測財務模型。

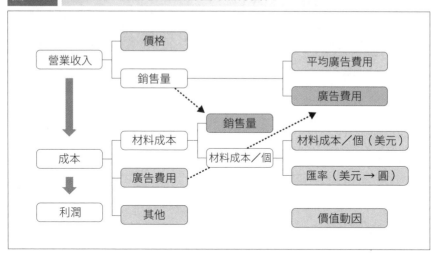

圖3-23　修正前：財務模型設計圖（魚骨圖）

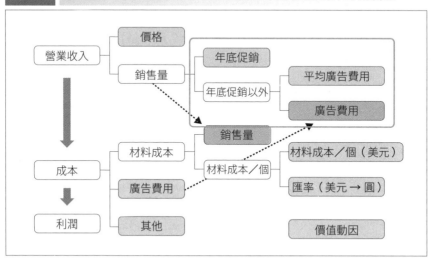

圖3-24　修正後：將銷售量分成年底促銷與年底促銷以外的銷售量

制定收益計畫的步驟 ❺
相關分析的注意事項

相關分析有幾點該注意的地方。首先,相關包括正相關與負相關。

所謂的正相關,舉例來說:業務員愈多,營業收入也愈高;反之,負相關則好比氣溫愈高,熱咖啡的銷售量愈少等等。

這裡要注意的是,如圖3-25所示,無論是正相關或負相關,R^2 的數字同樣都是84%。換句話說,光憑84%這個數字,無法辨別是正相關還是負相關。

圖3-25 相關分析的注意事項

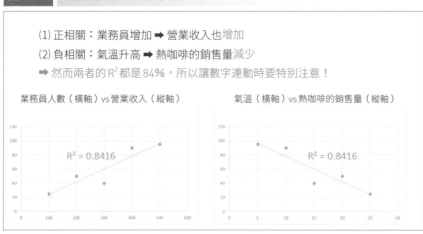

(1) 正相關:業務員增加 ➡ 營業收入也增加
(2) 負相關:氣溫升高 ➡ 熱咖啡的銷售量減少
➡ 然而兩者的 R^2 都是84%,所以讓數字連動時要特別注意!

業務員人數(橫軸)vs營業收入(縱軸)　　　氣溫(橫軸)vs熱咖啡的銷售量(縱軸)

$R^2 = 0.8416$　　　　$R^2 = 0.8416$

因此,在進行相關分析時,不只要看 R 的數值,還必須配合趨勢線(虛線)一起看,看是向右上傾斜(正相關)還是向右下傾斜(負相關)。

另一點要注意的是，有相關關係不見得就是有因果關係。

舉例而言，假如漢堡店的市場行銷人員看了銷售資料後認為：「漢堡的銷售量與咖啡的銷售量看起來有相關關係，所以只要免費發放咖啡，應該就能提高漢堡的銷售量吧？」

不過實際上的情況或許是「因為吃漢堡的人在意熱量（原因），所以傾向於跟零熱量的咖啡一起購買（結果）」。

這樣的話，即使免費發放咖啡，收到的人也不見得會想要吃漢堡，因此漢堡的銷售量並不會提高，只是讓人免費喝咖啡，喝完就結束了。這種原因與結果的關係稱為因果關係。即使資料上有相關關係，也不見得有因果關係。所以還是不能只看數字，重要的是確實且具體地去想像背景與假說，推敲究竟為什麼會發生那樣的相關性。

column 專欄　股價分析中也很常用的散佈圖

散佈圖也很常用在股價分析中，例如在調查「XXX業界中，什麼樣的經營指標會影響到股價」的時候，就會使用散佈圖，設定：

縱軸：股價（正確來說是 PER 等多重指標）

橫軸：各種經營指標（營收成長率、海外營收比率等等）

用來調查一些可能與股價相關的指標。

如果發現「XXX業界中，海外營收愈多的企業，股價往往愈高」的話，企業只要對投資人宣傳說：「本公司正在努力拓展海外事業！」應該就能博得投資人的好感。

制定收益計畫的步驟 ❻
製作未來的計畫

　　前面拆解了過去的損益表（營業收入、成本、利潤），並經由相關分析釐清哪些數字互相連動。唯有針對這些過去的實績資料進行過分析，才能夠進一步製作未來的損益表。

圖 3-26　制定收益計畫的步驟

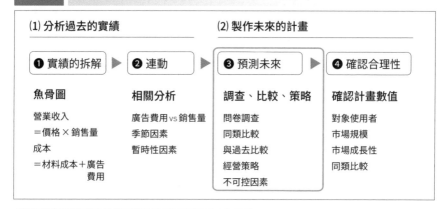

圖 3-27　個案研究

(1) 飾品銷售事業
　　（A）以3美元的價格從國外進口材料
　　（B）用1,000圓的價格在網路上銷售
　　（C）在網路上投放的廣告費用愈高，銷售量愈多
　　　　a.但每年年底的促銷（聖誕節）大約可以多賣400個

(2) 根據過去5個月的銷售實績，製作未來5個月的計畫
　　（A）價格似乎可以從1,000圓向上調漲
　　（B）希望可以增加銷售量，然後大批採購材料，以降低材料成本

這次要依據過去5個月的銷售實績，製作未來5個月的計畫。圖3-28是這次的財務模型設計圖（魚骨圖）。**只要先預測設計圖的價值動因（藍字的項目），接著再計算其餘項目，即可預測出營業收入、成本與利潤。**那麼以下就針對價值動因的預測方法（圖3-29）進行說明。

圖3-28 預測各價值動因（藍字），製作未來的計畫

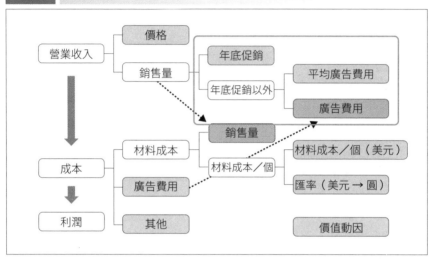

圖3-29 各價值動因的預測方法不一

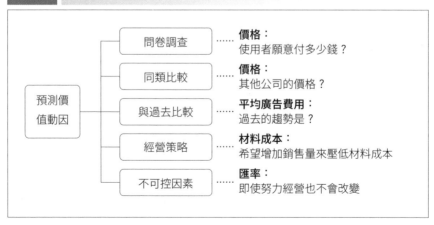

制定收益計畫的步驟 ❼ 製作未來的計畫：問卷調查＆同類比較

開始製作未來數字的預測表，計算圖3-30的右半部（未來）。

圖3-30

開始製作未來計畫吧

		10月	11月	實績 ← 12月	→明年計畫 1月	2月	3月	4月	5月
收益計畫									
營業收入	圓	650,000	550,000	1,100,000					
價格	圓	1,000	1,000	1,000					
銷售量	個	650	550	1,100					
年底促銷	個	0	0	400					
年底促銷以外	個	650	550	700					
平均廣告費用	圓	308	318	300					
成本	圓	524,250	473,000	689,500					
材料成本	圓	224,250	198,000	379,500					
平均材料成本	圓	345	360	345					
平均材料成本	美元	3.0	3.0	3.0					
匯率（兌1美元）	圓	115	120	115					
銷售量	個	650	550	1,100					
廣告費用	圓	200,000	175,000	210,000					
其他成本	圓	100,000	100,000	100,000					
利潤	圓	125,750	77,000	410,500					

　　首先，是關於價值動因「價格」的部分（圖3-31）。決定價格的方法有很多，但最常使用的方法之一就是問卷調查。針對設定的顧客層（年代、性別等）進行問卷調查，詢問他們願意支付到什麼水準。

　　另一種經常使用的方法就是同類比較。參考其他同業非常重要，而且不僅限於價格而已。

圖 3-31 思考關於價格的未來計畫

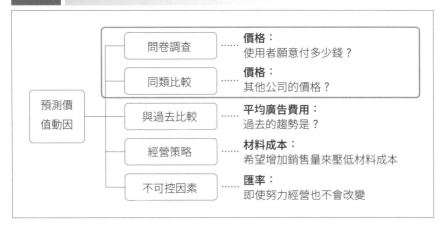

從以下的問卷調查結果（圖3-32）可知，很多顧客對於以往賣1,000圓的商品，也可以接受用1,100圓的價格購買。此外，同類商品的價格（圖3-32）也都介於1,200～1,300圓之間，比自己公司的價格還高。若從這2項資料來看，似乎可以將自己公司的商品價格從1,000圓再向上調漲。

圖 3-32 問卷調查與同類比較

因此，在未來計畫中，把價格從1,000圓調漲到1,100圓。

圖 3-33　把價格從1,000圓調漲到1,100圓

			10月	11月	12月	1月	2月	3月	4月	5月
2	收益計畫									
3					實績 ←	→明年計畫				
5	營業收入	圓	650,000	550,000	1,100,000					
6	價格	圓	1,000	1,000	1,000	1,100	1,100	1,100	1,100	1,100
7	銷售量	個	650	550	1,100					
8	年底促銷	個	0	0	400					
9	年底促銷以外	個	650	550	700					
10	平均廣告費用	圓	308	318	300					
11	成本	圓	524,250	473,000	689,500					
12	材料成本	圓	224,250	198,000	379,500					
13	平均材料成本	圓	345	360	345					
14	平均材料成本	美元	3.0	3.0	3.0					
15	匯率（兌1美元）	圓	115	120	115					
16	銷售量	個	650	550	1,100					
17	廣告費用	圓	200,000	175,000	210,000					
19	其他成本	圓	100,000	100,000	100,000					
20	利潤	圓	125,750	77,000	410,500					

決定價格的方法有很多種

決定價格的方法有很多種,例如 (1)「根據成本去設定價格的類型」,比方說建築工程的工程成本估算,就是先計算使用在工程上的建材或人事成本,再以成本加計30%的利潤提出報價單(價格)等等。就計算方法而言非常簡單易懂,但另一方面,這種價格設定對於買方來說可能算不上有吸引力,也就是有可能被認為是賣方單方面擅作主張。因此,或許稱不上是很有說服力的方法。

與此相反的例子則是 (2)「根據提供給顧客的附加價值來計算價格的類型」。例如某套軟體有助於提高工作效率,讓公司員工每月平均加班時間減少0.5小時,那麼在決定價格時,假如加班費是1小時2,000圓的話,那套軟體削減的成本(提供給顧客的附加價值)就是:2,000圓×每月減少0.5小時的加班時間=每月削減1,000圓的成本。

換句話說,只要這套軟體的使用成本是平均每人每月1,000圓以下的話,對於企業來說,就有充分的好處可以導入這套軟體。

圖3-34　**決定價格的方法有很多種**

(1) 根據成本來計算價格
　　(A) 計算平均成本(材料成本＋人事成本等等)
　　(B) 將成本加計30%利潤的金額設為價格
　　(C) 不過買方(消費者)可能會認為價格沒有吸引力

(2) 根據提供給顧客的附加價值去計算
　　(A) 提高工作效率的軟體→每月減少0.5小時的加班時間
　　(B) 加班1小時2,000圓×0.5小時＝削減1,000圓的成本
　　(C) 換句話說,只要價格低於1,000圓,企業就會導入軟體

制定收益計畫的步驟 ❽ 製作未來的計畫：與過去比較

接下來是與過去的比較。在預測未來時，參考過去的推移非常重要（圖3-35）。

在創立新事業時製作的收益計畫，大部分都會有很大的誤差（而且很多時候實績都遠低於計畫，讓人意識到自己過於樂觀的一面）。理由是因為沒有過去的實績，未來的預測就變得非常困難。反過來說，如果是新事業的話，最好盡快把事業建立起來，才能夠在未來收益的預測上取得重要的實績資料。

那麼現在就來根據這個前提，制定下一個價值動因「平均廣告費用」的計畫。

圖3-35　**與過去比較，以預測未來**

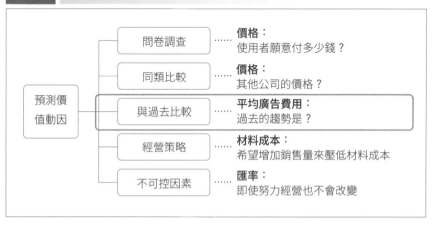

圖 3-36 預測各價值動因，製作未來的計畫

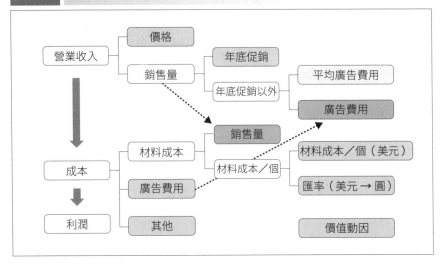

首先觀察「平均廣告費用」在過去的推移，這裡非常重要的一點是，**數字的推移要用折線圖來看**。光看一連串數字並不能看出數字是在增加、減少，還是只是暫時性的增加，也就是看不出所謂的趨勢。

不過只要用折線圖來看，就比較容易掌握過去的趨勢。

圖 3-37　**在檢視過去的趨勢時，一定要用折線圖來看！**

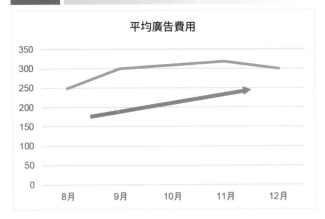

繪製圖表時絕對建議
使用「Alt」鍵

　　要用圖表檢視過去的推移，只要選取想檢視的數字，然後點選「插入」→「折線圖」即可。不過這裡一定要記住的，就是插入折線圖的快捷鍵。像這樣「用圖表掌握趨勢」的機會非常多，如果每次都使用滑鼠插入圖表的話，會耗費很多作業時間。

　　建立折線圖的快捷鍵是「Alt」→「N」→「N」→「Enter」。請先選取製表的數字範圍後，再依序按下快捷鍵。「Alt」鍵位在Windows鍵盤的左下方（右圖）。有些鍵盤位在右下方，不管按哪一邊都可以。

　　在拙作《外商投資銀行超強Excel製作術》也有詳細介紹到，「Alt」鍵的使用方法對於提升Excel的作業速度來說非常重要。

在使用包含「Alt」鍵在內的快捷鍵時，有件事情必須特別注意，就是要依照「Alt」→「N」→「N」→「Enter」的順序按4次鍵盤，

圖3-38　繪製折線圖

			8月	9月			實績 ←	→明年計畫
3	收益計畫							
4			8月	9月			12月	1月
5	營業收入	圓	400,000	500,000			,100,000	
6	價格	圓	1,000	1,000			1,000	1,100
7	銷售量	個	400	500			1,100	
8	年底促銷	個	0	0			400	
9	年底促銷以外	個	400	500			700	
10	平均廣告費用	圓	250	300	308	318	300	
11	成本	圓	332,000	422,500	524,250	473,000	689,500	
12	材料成本	圓	132,000	172,500	224,250	198,000	379,500	
13	平均材料成本	圓	330	345	345	360	345	
14	平均材料成本	美元	3.0	3.0	3.0	3.0	3.0	
15	匯率（兌1美元）	圓	110	115	115	120	115	
16	銷售量	個	400	500	650	550	1,100	
17	廣告費用	圓	100,000	150,000	200,000	175,000	210,000	
19	其他成本	圓	100,000	100,000	100,000	100,000	100,000	
20	利潤	圓	68,000	77,500	125,750	77,000	410,500	

（工具列）平面折線圖、立體折線圖、其他折線圖(M)...

圖3-39　用快捷鍵迅速繪製折線圖！

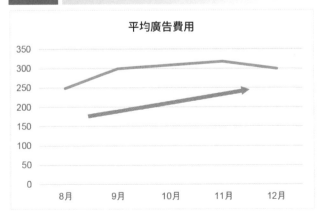

平均廣告費用

而不是同時按住「Alt」鍵與「N」鍵。

那麼實際來試做圖表吧。先選取「平均廣告費用」列的數字，再按「Alt」→「N」→「N」→「Enter」繪製折線圖。

圖3-40 **讓平均廣告費用增加（第10列）**

ABCD	E	F	I	J	K	L	M	N	O	P
1										
2	收益計畫									
3					實績 ←	→明年計畫				
4			10月	11月	12月	1月	2月	3月	4月	5月
5	營業收入	圓	650,000	550,000	1,100,000					
6	價格	圓	1,000	1,000	1,000	1,100	1,100	1,100	1,100	1,100
7	銷售量	個	650	550	1,100					
8	年底促銷	個	0	0	400	0	0	0	0	0
9	年底促銷以外	個	650	550	700					
10	平均廣告費用	圓	308	318	300	310	320	330	340	350
11	成本	圓	524,250	473,000	689,500					
12	材料成本	圓	224,250	198,000	379,500					
13	平均材料成本	圓	345	360	345					
14	平均材料成本	美元	3.0	3.0	3.0					
15	匯率（兌1美元）	圓	115	120	115					
16	銷售量	個	650	550	1,100					
17	廣告費用	圓	200,000	175,000	210,000					
19	其他成本	圓	100,000	100,000	100,000					
20	利潤	圓	125,750	77,000	410,500					

從圖表上可以看出，過去的平均廣告費用呈現增加的趨勢，因此假設未來每年平均增加10圓。此外，第8列的「年底促銷（所造成的銷售量增加）」則假設為0。

　　確認未來計畫時的另一個重點是，輸入未來的數字後，要將過去與未來的推移一併繪製為圖表（圖3-41）。如此一來，即可同時檢視圖表左半部過去的推移，與右半部未來的推移，並確認從過去到未來的推移沒有不合理之處。如果過去的成長幅度是10％，未來的成長率卻莫名其妙變成50％的話，這條成長曲線顯然就不太合理。

圖3-41 進一步用結合了過去與未來的圖表，確認沒有不合理之處！

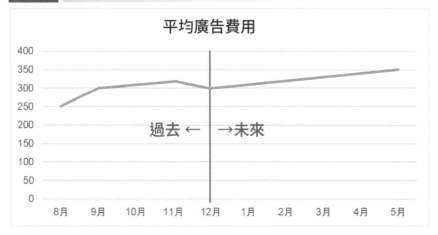

平均廣告費用

過去 ← ｜ →未來

學習「長在低處的水果比較容易採」的智慧

在商場上，如何以低廉成本招攬顧客是非常重要的課題。在這次的個案中，我們讓平均廣告費用，也就是招攬顧客的單價逐漸增加。主要是因為從過去的推移來看，單價有逐漸增加的趨勢，但另一個必須了解的觀點就是，在預測招攬成本時所使用的行銷用語：Low Hanging Fruits。

假設現在有1棵水果樹（圖3-42）。在摘採水果時，應該會先從生長位置較低、伸手就能碰到的水果A開始摘採吧？因為這非常輕鬆就能摘到了。不過下一顆水果B，因為位置比較高，所以或許需要用到梯子。這樣持續摘下去，平均1顆水果的摘採成本就會逐漸提高。

圖3-42 Low Hanging Fruits（**長在低處的水果比較容易採**）

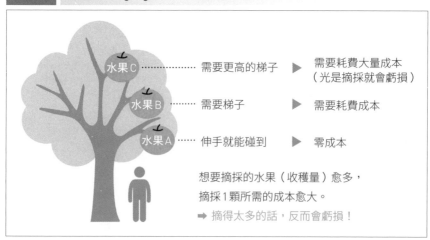

水果C ············ 需要更高的梯子 ▶ 需要耗費大量成本
（光是摘採就會虧損）

水果B ········ 需要梯子 ▶ 需要耗費成本

水果A ······ 伸手就能碰到 ▶ 零成本

想要摘採的水果（收穫量）愈多，
摘採1顆所需的成本愈大。

➡ 摘得太多的話，反而會虧損！

如上所述，**在市場行銷上可以看到一些個案，因為「從招攬成本較低的顧客依序展開」，所以最初的招攬成本很低，後續則預測招攬成本會愈來愈高。**此外，如果摘採太多的話，平均摘採1顆所需的成本也會變高，最後也有可能演變成摘採愈多、虧損愈多的結果。

當然，隨著市場行銷工作的進行，招攬成本也有可能因為各種經驗的累積而下降。如果商品或品牌知名度愈來愈高的話，招攬成本也有可能逐漸降低。雖然市場行銷人員應該以降低招攬成本為目標，但可以降低到什麼程度很難預測，而且要把這些全部納入收益計畫中，或許也可以說是太過樂觀的想法（再次強調，在建立收益計畫時，必須避免過於樂觀）。

當心曲棍球桿

前面提到「收益計畫往往容易過於樂觀」，這裡再介紹一個用語叫「曲棍球桿」。明明過去5年的營業收入持續下降，卻不面對這個現實，反而設置了「業績（應該）還可以再努力」或「價格（應該）還可以再提升」等樂觀的前提條件，導致計畫中的營業收入突然向上提升。因為這種折線圖的形狀很像曲棍球桿，所以才如此稱呼。

如前所述，結合過去的推移與未來的預測化為圖表，即可發現曲棍球桿的存在，確認未來的預測是否過於樂觀。

圖 3-43　曲棍球桿

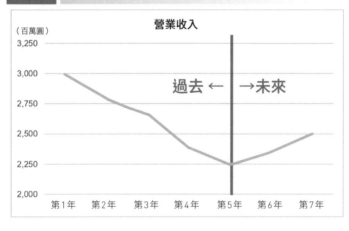

SECTION 13 如何讓收益「預測」升級為收益「計畫」

　　前面介紹了與同類企業比較，或是參考過去推移以預測未來等概念。然而，如果只有這樣的話，收益計畫就會變成「光憑客觀性事實去預測未來而已」。

　　所謂的收益計畫，如果只有比較過去或其他公司的數字來預測未來，是非常不足的。必須要讓「希望這個數字大幅成長」或「想要再壓低這個成本」等經營策略，也就是讓經營者的「意圖」反映在裡面才行。

圖3-44　讓經營策略反映在價值動因上

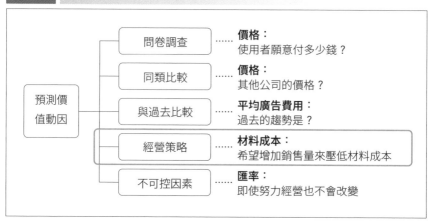

假設這次在增加銷售量的策略下，對於「平均材料成本」的部分，希望可以達到增加銷售量以減少材料成本（的策略）。另外，也試著思考看看讓「廣告費用」增加。

圖 3-45 預測各價值動因，製作未來的計畫

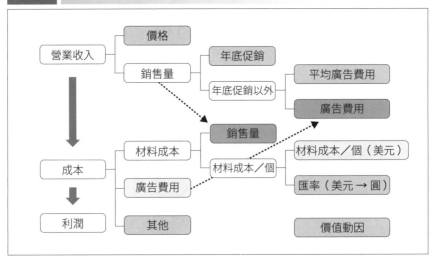

圖 3-46 本次個案研究中的經營策略

(1) 收益計畫必須反映經營策略（努力的方向），**而不是只有預測而已**

　　（A）今年想要降低材料成本（3美元→2.5美元）

　　　　a. 只要讓銷售量增加，就能相對壓低材料成本（＝總額折扣）

　　　　b. 為了增加銷售量，每月多投入30,000圓的廣告費用

(2) 除此之外，還有……

　　（A）想在年底促銷中辦活動，讓銷售量變成1.5倍

　　（B）想要改善市場行銷，在減少廣告費用的前提下增加銷售量

　　（C）想投入新事業

在圖3-47中，將平均材料成本從3.0美元降低為2.5美元（第14列）。另外，廣告費用的部分則是每月增加30,000圓（第17列）。這裡的廣告費用也新增1列「比前月增加」的欄位（第18列）。

圖3-47　Excel財務模型

			10月	11月	實績 ← 12月	→明年計畫 1月	2月	3月	4月	5月
收益計畫										
營業收入		圓	650,000	550,000	1,100,000					
價格		圓	1,000	1,000	1,000	1,100	1,100	1,100	1,100	1,100
銷售量		個	650	550	1,100					
年底促銷		個	0	0	400	0	0	0	0	0
年底促銷以外		個	650	550	700					
平均廣告費用		圓	308	318	300	310	320	330	340	350
成本		圓	524,250	473,000	689,500					
材料成本		圓	224,250	198,000	379,500					
平均材料成本		圓	345	360	345					
平均材料成本		美元	3.0	3.0	3.0	2.5	2.5	2.5	2.5	2.5
匯率（兌1美元）		圓	115	120	115					
銷售量		個	650	550	1,100					
廣告費用		圓	200,000	175,000	210,000	240,000	270,000	300,000	330,000	360,000
比前月增加		圓				30,000	30,000	30,000	30,000	30,000
其他成本		圓	100,000	100,000	100,000					
利潤		圓	125,750	77,000	410,500					

「想在年底促銷時辦活動，因此廣告費用先估多一點」、「明年想投入新事業，這也要加進明年的預算裡」等新構想，也都要納入收益計畫中。

此外，即使沒有具體的構想，也可以估算一些營業收入或成本，例如：「明年想要展開一些新計畫，暫時先編列〇億圓的挑戰預算吧」等等。

在經營策略上活用個案分析

前一章解說了使用CHOOSE函數的個案分析方法，而在收益計畫的制定中，經營策略與個案分析有相當密切的關係。

必須讓經營策略反映在收益計畫中……話雖如此，對未來的預測有困難的、也有簡單的。例如說要建立新事業，但那項事業並不曉得可以帶來多少營業收入。另一方面，關於前述的壓低材料成本，與新事業比起來似乎比較容易預測。

在這種情況下，可以先將容易預測未來的策略（壓低材料成本）納入所有個案中，難以預測未來的策略（建立新事業）則只放進樂觀個案中。如此一來，即可將確實性高的普通個案的營業收入目標，設為公司「必須達成的目標＝標準」，而樂觀個案則是「雖然可能性不高，但希望能努力實現的目標＝達成的話可以提供高額獎金的標準」。

| 圖3-48 | 經營策略與個案分析 |

⑴ 經營策略的「確實性」與個案分析有密切關係
（A）壓低材料成本是可預見的 ➡ 納入所有個案中
（B）新事業的成功是不確定的 ➡ 只納入樂觀個案

經營策略	悲觀個案	普通個案	樂觀個案
壓低材料成本	納入	納入	納入
新事業	不納入	不納入	納入
裁員	納入	不納入	不納入

不可控因素該怎麼辦?

最後的價值動因是「匯率(美元→日圓)」與「其他」(圖3-49)。關於匯率的部分,這是無法靠企業努力來改變的東西(當然也有一些金融策略可以抑制匯率變動的風險)。這種無法控制的項目就稱為「不可控因素」。其他像是營所稅率、消費稅率也都是不可控因素(次頁圖3-50)。

圖3-49 預測各價值動因,製作未來的計畫

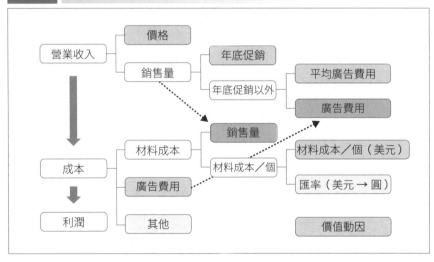

圖3-50　製作未來的計畫

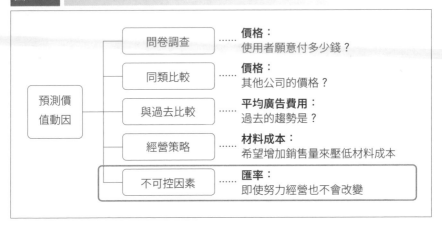

問卷調查 ……
價格：
使用者願意付多少錢？

同類比較 ……
價格：
其他公司的價格？

預測價
值動因

與過去比較 ……
平均廣告費用：
過去的趨勢是？

經營策略 ……
材料成本：
希望增加銷售量來壓低材料成本

不可控因素 ……
匯率：
即使努力經營也不會改變

由於稅率基本上不會改變，因此也可以直接將過去的實績值使用在未來計畫中。這次的預測匯率可以直接使用過去的實績，或是參考外部調查公司的報告，讓匯率稍微升值（或貶值）。

這裡還有要提醒的一個觀念是，「正因為不可控制、不可預測，所以更要保守估計」。在此個案中，如果匯率貶值，材料成本就會上漲，因此假如過去的趨勢是1美元＝115圓的話，就要保守地假設本幣會貶值（利潤受到壓迫），把計畫設定為1美元兌125圓等等。

再次強調，很多時候計畫都偏向樂觀，這樣會使得計畫很不容易達成。此外，因為意料之外的狀況（開發日程延遲等等）而導致營業收入不如預期，類似的情況也很常發生。為了因應這些事態，判斷要保守設定部分數值，「在計畫中預留準備金」的個案也很常見。

圖 3-51 什麼是不可控因素

＝無法按照自身意思去控制的項目

(1) 稅率

（A）營所稅：30%

（B）消費稅：10%

(2) 匯率

（A）未來的預測可以使用過去12個月的平均

（B）當然也可以使用外部調查公司的資料

（C）正因為無法預測，所以更需要做出保守估計的判斷

　　a.「在計畫中預留準備金」

這次把匯率設為1美元兌125圓，「其他成本」則使用過去的數值。

圖 3-52 輸入匯率與其他成本

					實績←	→明年計畫				
			10月	11月	12月	1月	2月	3月	4月	5月
營業收入	圓		650,000	550,000	1,100,000					
價格	圓		1,000	1,000	1,000	1,100	1,100	1,100	1,100	1,100
銷售量	個		650	550	1,100					
年底促銷	個		0	0	400	0	0	0	0	0
年底促銷以外	個		650	550	700					
平均廣告費用	圓		308	318	300	310	320	330	340	350
成本	圓		524,250	473,000	689,500					
材料成本	圓		224,250	198,000	379,500					
平均材料成本	圓		345	360	345					
平均材料成本	美元		3.0	3.0	3.0	2.5	2.5	2.5	2.5	2.5
匯率（兌1美元）	圓		115	120	115	125	125	125	125	125
銷售量	個		650	550	1,100					
廣告費用	圓		200,000	175,000	210,000	240,000	270,000	300,000	330,000	360,000
比前月增加	圓					30,000	30,000	30,000	30,000	30,000
其他成本	圓		100,000	100,000	100,000	100,000	100,000	100,000	100,000	100,000
利潤	圓		125,750	77,000	410,500					

完成收益計畫

到目前為止，價值動因（圖3-53的深藍色部分）都輸入進去了。
接下來只要由右到左逐一計算（淺藍色），收益計畫就完成了。

圖 3-53　從右到左逐一計算出數字，模型就完成了！

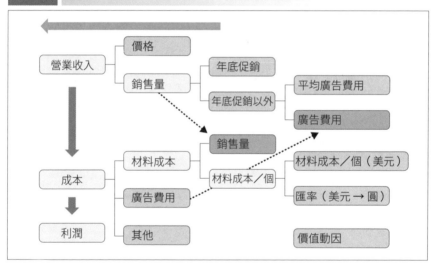

現在就來試試看吧。首先是D欄的項目，分別為以下的算式：

- 儲存格D9：銷售量（年底促銷以外）
  ＝廣告費用÷平均廣告費用
- 儲存格D13：平均材料成本
  ＝平均材料成本（美元）×匯率（圓／美元）

此外，銷售量正確來說是774.2，包含小數在內。銷售量原本應該要以1個為單位，也就是必須再修正為整數，但本書省略不談。

圖3-54	從右往左（D欄→B欄）計算 (1) D欄

	ABCD	E	F	I	J	K	L	M	N	O	P
1											
2	收益計畫										
3						實績←	→明年計畫				
4				10月	11月	12月	1月	2月	3月	4月	5月
5	營業收入		圓	650,000	550,000	1,100,000					
6	價格		圓	1,000	1,000	1,000	1,100	1,100	1,100	1,100	1,100
7	銷售量		個	650	550	1,100					
8	年底促銷		個	0	0	400	0	0	0	0	0
9	年底促銷以外		個	650	550	700	774	844	909	971	1,029
10	平均廣告費用		圓	308	318	300	310	320	330	340	350
11	成本		圓	524,250	473,000	689,500					
12	材料成本		圓	224,250	198,000	379,500					
13	平均材料成本		圓	345	360	345	313	313	313	313	313
14	平均材料成本	美元		3.0	3.0	3.0	2.5	2.5	2.5	2.5	2.5
15	匯率（兑1美元）		圓	115	120	115	125	125	125	125	125
16	銷售量		個	650	550	1,100					
17	廣告費用		圓	200,000	175,000	210,000	240,000	270,000	300,000	330,000	360,000
18	比前月增加		圓				30,000	30,000	30,000	30,000	30,000
19	其他成本		圓	100,000	100,000	100,000	100,000	100,000	100,000	100,000	100,000
20	利潤		圓	125,750	77,000	410,500					

接著往左1格計算C欄的項目。算式如下：

- 儲存格C7：銷售量

  ＝銷售量（年底促銷）＋銷售量（年底促銷以外）

- 儲存格C12：材料成本

  ＝平均材料成本×銷售量

圖3-55 從右往左（D欄→B欄）計算 (2) C欄

			10月	11月	12月	1月	2月	3月	4月	5月
1										
2	收益計畫									
3					實績 ←	→明年計畫				
4			10月	11月	12月	1月	2月	3月	4月	5月
5	營業收入	圓	650,000	550,000	1,100,000					
6	價格	圓	1,000	1,000	1,000	1,100	1,100	1,100	1,100	1,100
7	銷售量	個	650	550	1,100	774	844	909	971	1,029
8	年底促銷	個	0	0	400	0	0	0	0	0
9	年底促銷以外	個	650	550	700	774	844	909	971	1,029
10	平均廣告費用	圓	308	318	300	310	320	330	340	350
11	成本	圓	524,250	473,000	689,500					
12	材料成本	圓	224,250	198,000	379,500	241,935	263,672	284,091	303,309	321,429
13	平均材料成本	圓	345	360	345	313	313	313	313	313
14	平均材料成本	美元	3.0	3.0	3.0	2.5	2.5	2.5	2.5	2.5
15	匯率（兌1美元）	圓	115	120	115	125	125	125	125	125
16	銷售量	個	650	550	1,100	774	844	909	971	1,029
17	廣告費用	圓	200,000	175,000	210,000	240,000	270,000	300,000	330,000	360,000
18	比前月增加	圓				30,000	30,000	30,000	30,000	30,000
19	其他成本	圓	100,000	100,000	100,000	100,000	100,000	100,000	100,000	100,000
20	利潤	圓	125,750	77,000	410,500					

最後計算最左邊B欄的項目。

- 儲存格B5：營業收入＝價格×銷售量
- 儲存格B11：成本＝材料成本＋廣告費用＋其他成本
- 儲存格B20：利潤＝營業收入－成本

圖3-56 ｜ 從右往左（D欄→B欄）計算 (3) B欄

	單位	10月	11月	12月	1月	2月	3月	4月	5月
		實績←			→明年計畫				
營業收入	圓	650,000	550,000	1,100,000	851,613	928,125	1,000,000	1,067,647	1,131,429
價格	圓	1,000	1,000	1,000	1,100	1,100	1,100	1,100	1,100
銷售量	個	650	550	1,100	774	844	909	971	1,029
年底促銷	個	0	0	400	0	0	0	0	0
年底促銷以外	個	650	550	700	774	844	909	971	1,029
平均廣告費用	圓	308	318	300	310	320	330	340	350
成本	圓	524,250	473,000	689,500	581,935	633,672	684,091	733,309	781,429
材料成本	圓	224,250	198,000	379,500	241,935	263,672	284,091	303,309	321,429
平均材料成本	圓	345	360	345	313	313	313	313	313
平均材料成本	美元	3.0	3.0	3.0	2.5	2.5	2.5	2.5	2.5
匯率（兌1美元）	圓	115	120	115	125	125	125	125	125
銷售量	個	650	550	1,100	774	844	909	971	1,029
廣告費用	圓	200,000	175,000	210,000	240,000	270,000	300,000	330,000	360,000
比前月增加	圓				30,000	30,000	30,000	30,000	30,000
其他成本	圓	100,000	100,000	100,000	100,000	100,000	100,000	100,000	100,000
利潤	圓	125,750	77,000	410,500	269,677	294,453	315,909	334,338	350,000

這樣就完成所有數值的輸入與計算了。

確認收益計畫的合理性

　　完成收益計畫以後，還要確認這份計畫的合理性。最容易理解的計畫合理性，是與市場規模作比較。

　　例如在銷售以20多歲女性為目標對象的商品時，如果計畫中的使用人數比20多歲女性人口數量還多的話，就可以說是不合乎現實的。

　　另外，成長速度也是要注意的地方。如果照護市場每年成長10％，照護事業的營收成長目標卻設定為每年3％的話，就會給人比較保守的印象。

　　還有同類企業的比較。如果同類企業的營收每年成長10％，自己公司的計畫卻是成長40％的話，會給人過於激進（過於樂觀）的印象。

　　如上所述，在制定計畫後，可以比較市場規模或同類企業，以判斷自己公司的計畫是否合乎現實。

圖3-57　制定收益計畫的步驟

(1) 分析過去的實績　　　　　　　　　　**(2) 製作未來的計畫**

❶ 實績的拆解　▶　❷ 連動　▶　❸ 預測未來　▶　❹ 確認合理性

魚骨圖　　　　　**相關分析**　　　　**調查、比較、策略**　　**確認計畫數值**

營業收入　　　　廣告費用vs銷售量　　問卷調查　　　　　對象使用者
＝價格×銷售量　季節因素　　　　　　同類比較　　　　　市場規模
成本　　　　　　暫時性因素　　　　　與過去比較　　　　市場成長性
＝材料成本＋廣告　　　　　　　　　　經營策略　　　　　同類比較
　　　　　　費用　　　　　　　　　　不可控因素

圖3-58　**確認計畫的合理性**

(1) 對象使用人數與市場規模的比較

以20多歲女性為目標 ⇔ 計畫招攬的顧客數多於目標人口

➡ 是否不合乎現實？

(2) 與市場規模的成長比較

照護市場每年成長10% ⇔ 每年3%的營收成長

➡ 是否太過保守？

(3) 與同類比較

其他公司每年10%的營收成長 ⇔ 以40%的成長為目標

➡ 是否太過激進？

以我負責舉辦研習的大型通訊企業來說，他們不僅經營通訊事業而已，還有開發智慧型手機的應用程式與發布訊息。以下就來介紹專為內部員工所舉辦的收益模擬研習。

這場研習的主題，是替在日本上架的智慧型手機專用料理食譜影片服務（假想事業），預測未來的收益。

在預測剛成立的新事業的未來收益時，由於沒有過去的成長推移，難以預測未來，因此會從市場規模來設定收益目標。如此一來，市場規模會隨著目標市場（顧客）的不同，而有很大的差異。

各小組針對市場規模進行討論之後，出現了一些這樣的構想：「目標不應該只有女性，也要拓展到男性市場」，或是「廣告不應該只針對20幾歲～40幾歲常用智慧型手機的人，應該要讓50、60歲的人也願意使用才對」。再進一步討論下去，有人還提出了擴大市場規模的構想：或許可以用這個料理食譜影片去開設料理教室。如果按照這樣發展下去，市場規模恐怕可以擴大數十％至數倍吧。

在這樣的討論中，有個小組甚至勇敢提出了「如果往海外推廣呢？」的構想。光是把食譜影片的字幕從日文改成英文，目標族群就會一口氣從1億人（日本的人口數）擴大10倍，變成10億人以上（英語圈的人口數）。除此之外，如果也加入中文，以中國的10億人口數為目標的話，總計就會達到20億。**像這樣在思考市場規模時，「勇於畫大餅」是很重要的。**

確實寫下收益計畫的根據

　　收益計畫完成後，在最右欄分別寫下各價值動因的根據，對於事後回想「當初計畫時為什麼會增加這個數值？」很有幫助。

　　此處的重點是，**計畫的根據要盡量寫得具體一點**。舉例而言，如果只寫「參考過去的趨勢」，無法得知具體上究竟是如何參考的。相對於此，如果寫成「採過去5個月的平均」，還可以確認實際上究竟計算得正不正確。

圖 3-59　計畫的根據要具體！

ABCD	E	F	10月	11月	12月	1月	2月	3月	4月	5月	計畫根據
1											
2 收益計畫					實績←	→明年計畫					
5 營業收入		圓	650,000	550,000	1,100,000	851,613	928,125	1,000,000	1,067,647	1,131,429	計畫根據
6 　價格		圓	1,000	1,000	1,000	1,100	1,100	1,100	1,100	1,100	問卷調查
7 　銷售量		個	650	550	1,100	774	844	909	971	1,029	
8 　　年底促銷		個	0	0	400	0	0	0	0	0	沒有年底促銷
9 　　年底促銷以外		個	650	550	700	774	844	909	971	1,029	
10 　平均廣告費用		圓	308	318	300	310	320	330	340	350	每月增加10圓
11 成本		圓	524,250	473,000	689,500	581,935	633,672	684,091	733,309	781,429	
12 　材料成本		圓	224,250	198,000	379,500	241,935	263,672	284,091	303,309	321,429	
13 　　平均材料成本		圓	345	360	345	313	313	313	313	313	
14 　　平均材料成本		美元	3.0	3.0	3.0	2.5	2.5	2.5	2.5	2.5	因為銷售量增加而降低
15 　　匯率（兌1美元）		圓	115	120	115	125	125	125	125	125	保守估計125圓／美元
16 　　銷售量		個	650	550	1,100	774	844	909	971	1,029	
17 　廣告費用		圓	200,000	175,000	210,000	240,000	270,000	300,000	330,000	360,000	
18 　　比前月增加		圓				30,000	30,000	30,000	30,000	30,000	每月增加3萬圓
19 　其他成本		圓	100,000	100,000	100,000	100,000	100,000	100,000	100,000	100,000	與2017年12月相同
20 利潤		圓	125,750	77,000	410,500	269,677	294,453	315,909	334,338	350,000	

由下而上法 vs 由上而下法

前面介紹的收益計畫製作方法，是先預測價值動因，接著再計算剩餘的項目，直到計算出營業收入、成本與利潤為止，本書將這個方法稱為「由下而上法」。

由下而上法的優點是各項價值動因的第一線負責人（例如以銷售量來說，就是業務負責人），可以根據自身的經驗設定「這樣應該有可能實現」的目標。另一方面，由於第一線會盡量把目標設定在有可能實現的水準上，因此很多時候設定的目標都會比較合乎現實（有時更偏向保守）。

圖 3-60　由下而上法：從價值動因（深藍色）開始，逐步計算到營業收入～利潤（淺藍色）

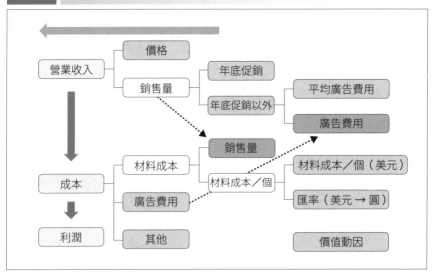

另外還有一種不同的方法，就是**先決定營業收入與成本的目標，再計算達成目標所需的價值動因。這種方法叫做「由上而下法」。**

舉例而言，在製作新事業的收益計畫時，由於沒有過去的實績可以參考，要預測詳細的價值動因相當困難，因此有時會由高層一聲令下說：「營業收入的目標是〇億圓！」然後由業務負責人來思考必要的銷售量。這就是由上而下法。**在這類案例中，由於高層「想要以這個數字為目標」的強烈意志優先於實現的可能性，因此很多時候數字都會比較理想化（樂觀）。**

圖 3-61 | 由上而下法：從營業收入～利潤（淺藍色）開始，逐步計算到價值動因（深藍色）

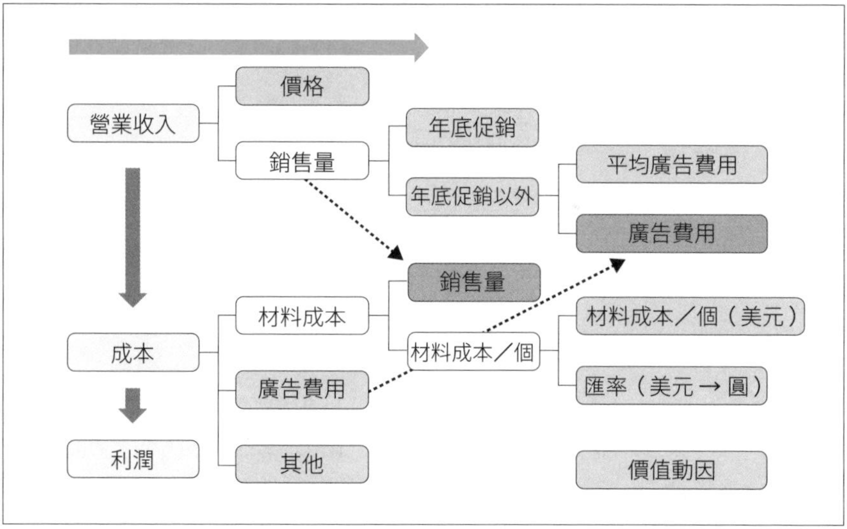

04

發表收益計畫簡報

商業模擬是否正確傳達很重要

收益計畫完成後，一定要用圖表＆PPT「秀」出來

前面解說了用Excel製作收益計畫的方法，接下來要說明向上司等對象講解計畫時「呈現數字的方法」。

這裡很重要的一點在於，人們即使看到一成串數字也無法完全理解。舉例而言，如果你讓上司看以下的Excel表（收益計畫），問說：「您覺得這份計畫如何？」上司恐怕只會說：「抱歉，我不知道要看哪裡……你想講的重點是什麼？」

圖4-1 光看Excel表格也不曉得重點在哪

收益計畫基本		第1年	第2年	第3年	第4年	第5年	第6年
				實績 ←|→明年計畫			
營業收入	百萬圓	75.0	120.3	187.2	263.9	340.3	455.6
會員數	千人	25.0	37.0	52.0	75.4	104.7	140.2
新會員數	千人	10.0	12.0	15.0	23.4	29.3	35.5
新會員的招攬成本	千圓／人	1.5	1.9	1.8	2.0	2.3	2.4
每位會員平均年營業收入	千圓	3.0	3.3	3.6	3.5	3.3	3.3
營業成本	百萬圓	27.0	41.0	56.4	84.4	108.9	145.8
成本率	％	36.0%	34.1%	30.1%	32.0%	32.0%	32.0%
毛利	百萬圓	48.0	79.3	130.8	179.5	231.4	309.8
廣告宣傳費用	百萬圓	15.0	22.5	27.0	46.8	66.0	85.1
／前一年度的營業收入	％	N/A	30.0%	22.5%	25.0%	25.0%	25.0%
固定成本	百萬圓	32.0	48.0	67.0	83.5	107.5	131.5
人事成本	百萬圓	25.0	40.0	55.0	66.0	82.5	99.0
員工人數	人	5.0	7.0	10.0	12.0	15.0	18.0
平均人事成本	百萬圓	5.0	5.7	5.5	5.5	5.5	5.5
租金	百萬圓	5.0	5.0	7.0	10.0	15.0	20.0
其他成本	百萬圓	2.0	3.0	5.0	7.5	10.0	12.5
營業利潤	百萬圓	1.0	8.8	36.8	49.2	58.0	93.2

收益計畫一定要「用圖表與PPT說明」，這是最基本的事。為了讓一連串數字看起來更淺顯易懂，以下將說明如何活用圖表與PPT來「呈現」整場簡報。

編製目次
在簡報的開頭介紹整體架構

在簡報的開頭編製目次。一開始就告訴聽眾這次的收益計畫結構，好讓大家知道：「喔，固定成本的說明在最後啊，那麼關於固定成本的問題就稍後再問吧。」

除此之外，在簡報頁數很多的情況下，如果能在說明各個部分之前，再次列出目次，那麼聽眾也可以理解到「現在說明的是整份簡報的中間部分，那離結束大概還有10分鐘」。

圖4-2	用目次傳達簡報的整體架構

目次
⑴ 收益結構、事業環境以及經營策略
⑵ 總結：營業收入、營業利潤
⑶ 營業收入 ❶：會員數、廣告宣傳費用
⑷ 營業收入 ❷：每位會員平均年營業收入
⑸ 營業成本
⑹ 固定成本
⑺ 前提條件
⑻ 補充資料（各個案的詳細收益計畫）

說明收益結構、重要指標與各個案

在進行收益計畫簡報時要先說明前提，也就是收益結構。

圖 4-3 收益結構

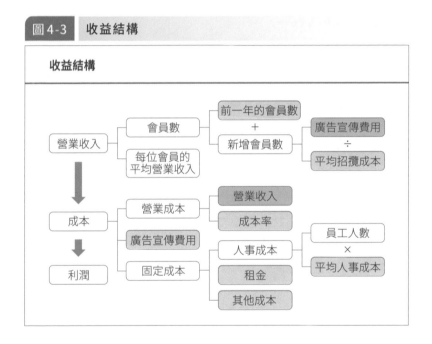

接下來說明達成這種收益結構的背景。所謂的收益結構，就是用來說明「把哪些指標設定為價值動因」的東西。清楚整理出之所以認為這個價值動因很重要的背景，例如事業環境或公司經營策略等等，告訴大家：「因為○○的狀況與經營策略，所以……這樣的指標很重要。」

圖 4-4 **重要指標需與事業環境、經營策略一同說明！**

重要指標

事業環境與經營策略　　　　　　　　　　　　　　　重要指標

(1) 過去每位會員的平均年營業收入持續增加
(2) 不過今後因為競爭日益激烈，有可能停止成長　　▶　　每位會員的平均
　　　　　　　　　　　　　　　　　　　　　　　　　　　年營業收入

(3) 過去透過網路廣告招攬顧客，成本低廉
(4) 今後將投放電視廣告，招攬成本有可能增加　　　▶　　新會員平均招攬成本

(5) 過去的廣告宣傳費用是前一年度營業收入的22.5%
(6) 今後隨營業收入增加，廣告宣傳費用也會增加　　▶　　廣告宣傳費用
　　　　　　　　　　　　　　　　　　　　　　　　　　　（去年營收比）

　　然後寫下各個案的前提條件。在製作收益計畫時，大多都是準備 2～3 組個案。這裡要寫下每一組個案是基於什麼樣的前提條件製作而成。

圖 4-5　　各個案的前提條件

各個案的前提條件

悲觀個案：
　　① 會員平均營業收入減少，降低 ② 招攬成本與 ③ 廣告宣傳費用
樂觀個案：
　　① 會員平均營業收入增加，② 投放招攬成本高的電視廣告，③ 廣告宣傳費用也增加

重要指標	第3年（實績）	第6年（計畫）		
		悲觀	普通	樂觀
每位會員的平均年營業收入	3千6百圓	2千5百圓	3千3百圓	4千1百圓
新會員平均招攬成本	1千8百圓	1千圓	2千4百圓	3千圓
廣告宣傳費用（去年營收比）	2千7百萬圓（22.5%）	2千5百萬圓（10.0%）	8千5百萬圓（25.0%）	1億6千5百萬圓（35.0%）

先提出總結
（營業收入、利潤）

　　在收益計畫簡報中，要先放上總結的投影片。由於聽眾最關心的是「那到底可以賺多少錢？」因此最初的階段就要在總結的投影片上，提出各個案的營業收入與利潤。

圖4-6	目次

目次

　⑴ 收益結構、事業環境以及經營策略

　⑵ 總結：營業收入、營業利潤

　⑶ 營業收入 ❶：會員數、廣告宣傳費用

　⑷ 營業收入 ❷：每位會員平均年營業收入

　⑸ 營業成本

　⑹ 固定成本

　⑺ 前提條件

　⑻ 補充資料（各個案的詳細收益計畫）

　　如果聽眾（上司、經營團隊等）在這個階段即表示認同「原來如此，明年的計畫是以○○億圓的盈餘為目標啊？以目標來說還算合理」的話還無所謂，但如果從一開始就被說：「目標怎麼可以設那麼低！」後面的簡報恐怕會很辛苦。即使只有營業收入與利潤等重大目標，如果能在簡報前先與聽眾取得共識，將會使討論更加順利。

此外，在總結中需分別說明悲觀個案、樂觀個案的營業收入與利潤。樂觀個案是比較理想的計畫，由於隨著廣告宣傳費用增加，營業收入增加的幅度更大，因此利潤也會增加。聽眾看到這裡，恐怕會擔心「那營業收入減少時，廣告宣傳費用還是維持不變嗎？那樣會虧損喔」。事前預見到這一點，然後進一步說明：「在悲觀個案中，假定營業收入會減少，這時會控制廣告宣傳費用，因此可以充分確保利潤。」**藉此傳達出「不會眼見營業收入減少，還拚命做廣告宣傳導致虧損」的訊息，讓對方感到安心。**

先用樂觀個案傳達**「對成長的追求」**，表現出以營業收入大幅成長為目標，再用悲觀個案展現**「冷靜判斷的態度」**，讓人知道即使在營業收入沒有成長的情況下，也能充分掌控利潤，像這樣取得平衡很重要。

圖4-7 在總結中展現出「對成長的追求」與「冷靜判斷的態度」

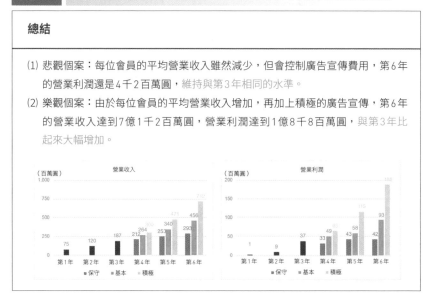

總結

⑴ 悲觀個案：每位會員的平均營業收入雖然減少，但會控制廣告宣傳費用，第6年的營業利潤還是4千2百萬圓，維持與第3年相同的水準。

⑵ 樂觀個案：由於每位會員的平均營業收入增加，再加上積極的廣告宣傳，第6年的營業收入達到7億1千2百萬圓，營業利潤達到1億8千8百萬圓，與第3年比起來大幅增加。

會員數與廣告宣傳費用綁在一起說明

接著是營業收入主因之一的會員數。

重點是<mark>由於「投入更多廣告宣傳費用，即可大幅增加會員數」，因此要把這2個數字合併在1張圖表中（圖4-9、4-10）呈現。</mark>這種圖表稱作雙座標圖表，直條圖（左軸）是廣告宣傳費用，折線圖（右軸）是會員數。

圖4-8　**收益結構**

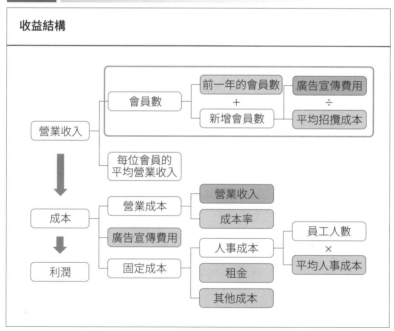

圖 4-9

廣告宣傳費用 & 會員數（第 6 年）

廣告宣傳費用 & 會員數（第 6 年）

(1) 過去的廣告宣傳費用是前一年度營業收入的22.5～30%。

(2) 悲觀個案的廣告宣傳費用壓低至前一年度營業收入的15%（2千5百萬圓）。

(3) 普通個案的廣告宣傳費用是前一年度營業收入的25%（8千5百萬圓），與過去實績維持在相同的水準。

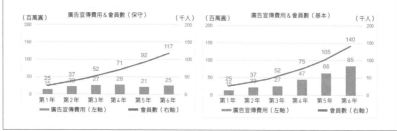

圖 4-10

廣告宣傳費用 & 會員數（第 6 年）

廣告宣傳費用 & 會員數（第 6 年）

(4) 樂觀個案的廣告宣傳費用提高到前一年度營業收入的35%（1億6千5百萬圓），希望藉由投放電視廣告等新的廣告宣傳方式，達到會員數17萬人的目標。

每位會員的平均營業收入
用圖表與其他公司做比較

接著是營業收入的另一個主因:「每位會員的平均營業收入」。這裡使用的是前一章解說過的「與過去比較」或「與同類服務比較」的投影片。

圖 4-11 收益結構

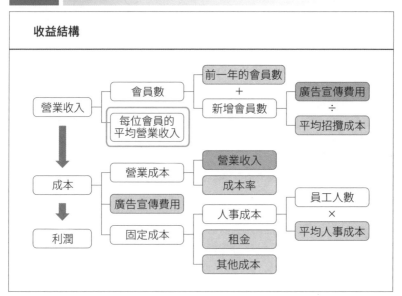

圖4-12投影片左邊的圖表，是看著**過去的推移**製作出來的未來計畫值。過去的營業收入雖然呈現增加趨勢，但考量到未來的競爭可能愈來愈激烈，因此連普通個案都預計會呈現下降趨勢。

　　投影片右邊的圖表顯示的是**與競爭對手的比較**。看這張圖表就知道，營業收入比其他公司高，因此判斷現在是「太過順利」的狀況，並採取比較保守的估計。

圖 4-12　用過去的推移還有與競爭對手的比較，來呈現每位會員的平均年營業收入

每位會員的平均年營業收入

⑴ 第3年的實績是**3千6百圓**，高於其他公司，但預計今後的競爭會愈來愈激烈

⑵ 普通個案保守估計為**3千3百圓**（＝與第2年實績相同）

⑶ 悲觀個案估計跌落到**2千5百圓**（＝B公司與C公司的平均）

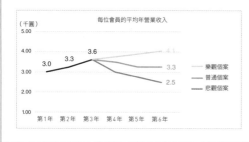

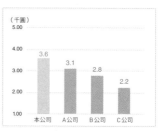

營業成本
數量折扣有效嗎？

營業成本也是看過去的推移以估計未來值。由於營業成本與營業收入連動，因此許多時候會以成本率（營業成本÷營業收入）為價值動因。

關於成本率的部分，從圖4-14的過去推移（灰線）來看，成本率呈現下降趨勢。這一般稱為數量折扣，因為銷售量增加的話，進貨成本也會隨之下降。

當然，這種事情在不同業界會有很大的差異，比方說在服飾業也有因為暖冬導致大衣賣不出去，所以大幅降價造成成本率上升的情形。

在此個案中，雖然過去的成本率逐年降低（改善），但由於未來的預期不夠明確，因此在未來的計畫中採用過去的平均。

此外，這份簡報並未將成本按照個案區分（悲觀、普通、樂觀）。區分個案只要區分重要的數字，或預期會有很大變動的數字即可。所有數值都區分個案的話，會相當耗時費力。

圖 4-13 收益結構

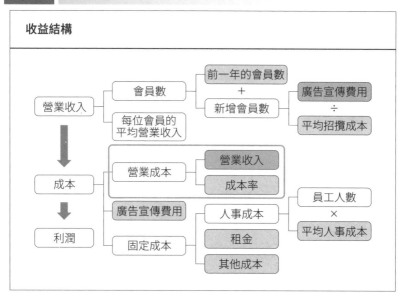

圖 4-14 營業成本使用過去的平均

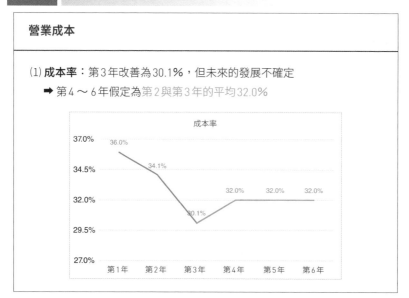

固定成本
圖表與文字的排列方式

　　最後是固定成本。雖然同樣是固定成本，但還分成人事成本與租金等各種項目，因此細項也必須充分說明。此處使用的是「堆疊直條圖」。

圖 4-15　收益結構

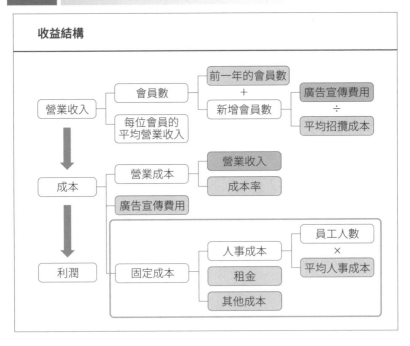

圖4-16使用堆疊直條圖的好處是，可以呈現總固定成本的推移（增加趨勢），同時也能看見細項。從這張圖表就能知道，固定成本的增加主因是人事成本。

此外，在收益計畫簡報的各張投影片上，將圖表與文字並列是最基本的。前面的投影片配置皆是上方為文字，下方為圖表，這次的投影片配置則是左邊為圖表，右邊為文字。至於要上下配置或左右配置，可由圖表大小或文章長度進行判斷。

圖4-16　　**堆疊直條圖可以有效地同時呈現總和與細項！**

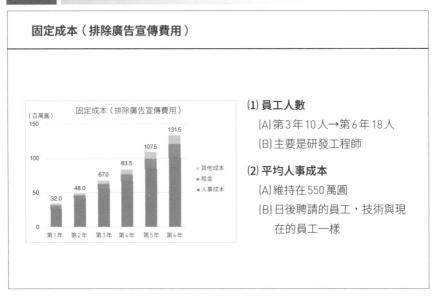

到這個階段，收益計畫簡報的正文就完成了。正文投影片的後面則放上「前提條件」與「各個案的詳細收益計畫」作為補充資料。

前提條件
放在簡報的最後

　　這張投影片是用來說明細部數字的定義，例如員工人數是否包含約聘員工等等。如果把這些一一放進正文投影片裡的話，會使得整份投影片顯得混亂而難以閱讀，因此要統一彙整在簡報的最後。

　　此處的前提條件重點就是「盡量寫得詳細、具體一點」。

　　隨著前提條件的定義不同，數字有可能大不相同。以前述的員工人數來說，如果「不包含工讀生只有100人，包含工讀生則是300人」的話，那麼員工人數的定義就非常重要了。此外，釐清前提條件，對於製作這份收益計畫與簡報的你來說，也有保護的作用。例如聽眾（上司）向你抱怨說：「我以為員工人數不包含工讀生，這一點根本沒有提到！」這時如果你有明確列在前提條件中，就可以據理力爭地反駁說：「不，我有寫在前提條件裡。」

　　在編製數字時，明確設定數字的前提條件（避免黑箱）是非常重要的一點。實際上，在投資銀行業界，也會根據各種前提條件計算企業併購的收購價格，並向客戶提案，而且在前提條件的部分會寫得非常仔細，這可以說是用來避免對數字定義理解不同而引起紛爭的手段。

圖 4-17　目次

目次

---

　　(1) 收益結構、事業環境以及經營策略

　　(2) 總結：營業收入、營業利潤

　　(3) 營業收入 ❶：會員數、廣告宣傳費用

　　(4) 營業收入 ❷：每位會員平均年營業收入

　　(5) 營業成本

　　(6) 固定成本

　　(7) 前提條件

　　(8) 補充資料（各個案的詳細收益計畫）

圖 4-18　前提條件

前提條件

---

(1) 營業成本

　　〔A〕進貨成本與系統營運費用

(2) 固定成本

　　〔A〕員工人數僅包含正職員工與約聘員工

　　　　a. 工讀生含在其他成本內

　　〔B〕租金包含水電瓦斯費

　　〔C〕外包費含在其他成本內

SECTION 10

補充資料

用Excel表匯總詳細收益計畫

最後放的是詳細的收益計畫。前面都是用圖表來呈現數字，但有時為了要確認更詳細的數字，此處要將收益計畫的詳細內容匯總成表格。

此外，將Excel的表格或圖表貼在PPT時，直接複製貼上的話，格式會跑掉，因此在貼上的時候要從「常用」→「貼上」→「選擇性貼上」中，選擇貼上「圖片」。

圖4-19 目次

目次

(1) 收益結構、事業環境以及經營策略
(2) 總結：營業收入、營業利潤
(3) 營業收入 ❶：會員數、廣告宣傳費用
(4) 營業收入 ❷：每位會員平均年營業收入
(5) 營業成本
(6) 固定成本
(7) 前提條件
(8) 補充資料（各個案的詳細收益計畫）

圖 4-20 **補充資料：收益計畫詳細內容（悲觀個案）**

收益計畫（悲觀個案）

收益計畫 保守		第1年	第2年	實績←┤→明年計畫 第3年	第4年	第5年	第6年
營業收入	百萬圓	75.0	120.3	187.2	212.2	252.8	293.0
會員數	千人	25.0	37.0	52.0	70.7	91.9	117.2
新會員數	千人	10.0	12.0	15.0	18.7	21.2	25.3
招攬成本	千圓／人	1.5	1.9	1.8	1.5	1.0	1.0
每位會員的平均年營業收入	千圓	3.0	3.3	3.6	3.0	2.8	2.5
營業成本	百萬圓	27.0	41.0	56.4	67.9	80.9	93.8
成本率	%	36.0%	34.1%	30.1%	32.0%	32.0%	32.0%
毛利	百萬圓	48.0	79.3	130.8	144.3	171.9	199.3
廣告宣傳費用	百萬圓	15.0	22.5	27.0	28.1	21.2	25.3
／前一年度的營業收入	%	N/A	30.0%	22.5%	15.0%	10.0%	10.0%
固定成本	百萬圓	32.0	48.0	67.0	83.5	107.5	131.5
人事成本	百萬圓	25.0	40.0	55.0	66.0	82.5	99.0
員工人數	人	5.0	7.0	10.0	12.0	15.0	18.0
平均人事成本	百萬圓	5.0	5.7	5.5	5.5	5.5	5.5
租金	百萬圓	5.0	5.0	7.0	10.0	15.0	20.0
其他成本	百萬圓	2.0	3.0	5.0	7.5	10.0	12.5
營業利潤	百萬圓	1.0	8.8	36.8	32.7	43.2	42.5

圖 4-21 **補充資料：收益計畫詳細內容（普通個案）**

收益計畫（普通個案）

收益計畫 基本		第1年	第2年	實績←┤→明年計畫 第3年	第4年	第5年	第6年
營業收入	百萬圓	75.0	120.3	187.2	263.9	340.3	455.6
會員數	千人	25.0	37.0	52.0	75.4	104.7	140.2
新會員數	千人	10.0	12.0	15.0	23.4	29.3	35.5
招攬成本	千圓／人	1.5	1.9	1.8	2.0	2.3	2.4
每位會員的平均年營業收入	千圓	3.0	3.3	3.6	3.5	3.3	3.3
營業成本	百萬圓	27.0	41.0	56.4	84.4	108.9	145.8
成本率	%	36.0%	34.1%	30.1%	32.0%	32.0%	32.0%
毛利	百萬圓	48.0	79.3	130.8	179.5	231.4	309.8
廣告宣傳費用	百萬圓	15.0	22.5	27.0	46.8	66.0	85.1
／前一年度的營業收入	%	N/A	30.0%	22.5%	25.0%	25.0%	25.0%
固定成本	百萬圓	32.0	48.0	67.0	83.5	107.5	131.5
人事成本	百萬圓	25.0	40.0	55.0	66.0	82.5	99.0
員工人數	人	5.0	7.0	10.0	12.0	15.0	18.0
平均人事成本	百萬圓	5.0	5.7	5.5	5.5	5.5	5.5
租金	百萬圓	5.0	5.0	7.0	10.0	15.0	20.0
其他成本	百萬圓	2.0	3.0	5.0	7.5	10.0	12.5
營業利潤	百萬圓	1.0	8.8	36.8	49.2	58.0	93.2

圖 4-22　補充資料：收益計畫詳細內容（樂觀個案）

收益計畫（樂觀個案）

收益計畫 積極		第1年	第2年	實績 ←┐ 第3年	┌→明年計畫 第4年	第5年	第6年
營業收入	百萬圓	75.0	120.3	187.2	300.3	470.9	711.5
會員數	千人	25.0	37.0	52.0	80.1	120.7	175.7
新會員數	千人	10.0	12.0	15.0	28.1	40.7	54.9
招攬成本	千圓／人	1.5	1.9	1.8	2.0	2.4	3.0
每位會員的平均年營業收入	千圓	3.0	3.3	3.6	3.8	3.9	4.1
營業成本	百萬圓	27.0	41.0	56.4	96.1	150.7	227.7
成本率	%	36.0%	34.1%	30.1%	32.0%	32.0%	32.0%
毛利	百萬圓	48.0	79.3	130.8	204.2	320.2	483.8
廣告宣傳費用	百萬圓	15.0	22.5	27.0	56.2	97.6	164.8
／前一年度的營業收入	%	N/A	30.0%	22.5%	30.0%	32.5%	35.0%
固定成本	百萬圓	32.0	48.0	67.0	83.5	107.5	131.5
人事成本	百萬圓	25.0	40.0	55.0	66.0	82.5	99.0
員工人數	人	5.0	7.0	10.0	12.0	15.0	18.0
平均人事成本	百萬圓	5.0	5.7	5.5	5.5	5.5	5.5
租金	百萬圓	5.0	5.0	7.0	10.0	15.0	20.0
其他成本	百萬圓	2.0	3.0	5.0	7.5	10.0	12.5
營業利潤	百萬圓	1.0	8.8	36.8	64.5	115.1	187.5

05

建立市場
行銷收益模擬模型

商業模擬的目標就在這裡

收益計畫的問題點＝市場行銷的投資報酬率不明

　　前面說明了製作收益計畫的方法，但要進行本書的目的，也就是「那個能賺多少錢？」的收益模擬，光靠收益計畫是不夠的。因為收益計畫欠缺一個很重要的觀點。

　　舉例而言，圖5-1是同業A公司與B公司的營業收入、成本與利潤。請問你認為哪間是優良的企業？

　　這2家公司的營業收入都相同，但A公司的利潤比較高，差別在於廣告宣傳費用。A公司使用的廣告宣傳費用是1百萬圓，B公司使用的則是3百萬圓，因此利潤比前者少。

圖5-1	A公司與B公司，哪間是優良企業？				
	A　B	C	D	E	F
1					
2	損益計算表				
3				A公司	B公司
4	營業收入		千圓	5,000	5,000
5	營業成本		千圓	△ 2,500	△ 4,500
6	材料成本		千圓	△ 1,000	△ 1,000
7	人事成本		千圓	△ 500	△ 500
8	廣告宣傳費用		千圓	△ 1,000	△ 3,000
9	利潤		千圓	2,500	500

　　那麼在看到這個數字後，我們可以說「A公司比較優良」嗎？假如B公司老闆這樣說的話又如何呢——

「現在廣告宣傳得很順利，能有效替公司招攬客戶。營業收入會反映在明年的表現上，先趁著今年積極投資在廣告宣傳上。」（圖5-2）

圖 5-2　何謂市場行銷

B公司老闆的發言：

- 現在市場行銷（廣告宣傳）進行得很順利，能有效替公司招攬客戶。
- 營業收入會反映在明年的表現上，先趁著今年積極投資市場行銷。

	A B	C	D	E	F
1					
2	損益計算表				
3				A公司	B公司
4	營業收入		千圓	5,000	5,000
5	營業成本		千圓	△ 2,500	△ 4,500
6	材料成本		千圓	△ 1,000	△ 1,000
7	人事成本		千圓	△ 500	△ 500
8	廣告宣傳費用		千圓	△ 1,000	△ 3,000
9	利潤		千圓	2,500	500

對未來的投資！

換句話說，這是用長期的觀點在做經營判斷：這個廣告宣傳要到明年才會創造營業收入，所以就算讓今年的利潤相對減少也沒關係。

聽到這裡是不是會覺得，或許明年B公司的利潤會變得比較高，反倒是A公司並沒有替未來做好市場行銷呢？

如上所述，收益計畫的問題點就是「難以判斷市場行銷的長期投資報酬率」。

舉例而言，即使某家企業對股東宣告說：「本公司的利潤率非常高，是業界第一！」但從另一方面來看，也有可能只是因為他們沒有替未來做足必要的投資而已。刪減企業成長必須的人事成本，不投資

設備，也不做廣告宣傳，僅以既有事業創造的收益為利潤的來源。這樣短期的利益率會提高，卻無法預見長期的成長。

換句話說，「要忽視長期成長並提高短期利潤，比想像中簡單，只要削減成本即可」。

在思考成本時，必須分成 (1) 可以帶來營業收入的成本 (2) 無法帶來營業收入的成本。

對於 (1) 前者要用投資報酬率來想，只要預期能夠獲得的報酬大於投資額，就應該積極地投資下去。

另一方面，對於 (2) 後者則須盡量削減不必要的浪費。

經常有人會如此判斷：「今年的利潤好像無法達到目標，不如刪減廣告宣傳費用來達成目標吧。」但這或許可以說是犧牲了翌年的利潤成長。

圖 5-3　收益計畫與市場行銷投資報酬率的差異

(1) 收益計畫（營收、成本、利潤）
　(A) 期間利潤（1 年內創造的營收與利潤）
　(B) 如果跨年度的話，有可能不曉得投資報酬率是多少

(2) 市場行銷
　(A) 相對於廣告投資，那大約會創造出多少利潤呢？
　(B) 長期的投資報酬率
　　• 讓成本 vs 營收相互對應

本書的最後將針對前面收益計畫中無法判斷的「市場行銷的長期投資報酬率」，解說計算的方法。

請務必熟習前文的內容，成為一個能夠從收益計畫與市場行銷這兩種觀點進行模擬的人才。

Amazon 的營收與利潤是什麼情況？

相信大家都知道跨國電子商務企業Amazon這家公司，但各位有看過Amazon過去的營收與利潤嗎？

Amazon的收益非常簡單易懂，如圖5-4所示，相對於急遽成長的營收，利潤則持續保持在幾近於零的狀態。

難道Amazon是「營收持續增加，卻無法創造利潤的低收益型商業模式」嗎？絕非如此，事實是他們果敢地投資新事業，並宣布以長期成長而非短期利潤為目標。

圖 5-4　Amazon 的營收與利潤的推移

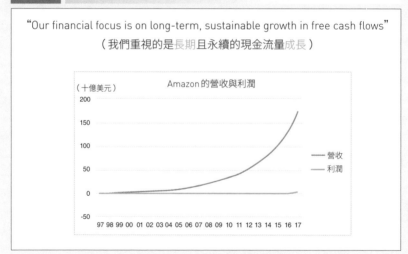

"Our financial focus is on long-term, sustainable growth in free cash flows"
（我們重視的是長期且永續的現金流量成長）

Amazon所謂「重視長期成長勝過短期利潤」的理念，多年來都沒有改變。

一旦理解了市場行銷投資報酬率的概念，就會懂得Amazon這種利潤推移有多「了不起」！

市場行銷利潤的概念與公式

關於「市場行銷會創造多少利潤」，也就是「市場行銷利潤」，要用以下的方法來思考。

假設現在要投資10,000圓在廣告宣傳（市場行銷）上。

圖5-5	個案研究

投入10,000圓做廣告宣傳的結果

① 招攬到10位新顧客
② 每位顧客的平均招攬成本是1,000圓（10,000圓÷10人）
③ 從每位顧客那裡得到的營業收入是3,000圓
④ 然而，採購這項商品要花500圓（進貨成本）

在這種情況下，從這筆10,000圓的市場行銷投資中，可以獲得的利潤（市場行銷利潤）是：

圖5-6	計算市場行銷利潤

市場行銷利潤
　＝每位顧客的平均利潤 × 招攬顧客數
　＝每位顧客的平均（營業收入－成本）× 招攬顧客數
　＝每位顧客的平均（③ 營業收入－② 市場行銷費用－④ 成本）×① 招攬顧客數
　＝（3,000圓－ 1,000圓－ 500圓）×10人
　＝ 15,000圓

也就是說，市場行銷利潤的計算式如下：

市場行銷利潤＝每位顧客的平均利潤 × 招攬顧客數
　　　　　　＝（LTV －市場行銷費用－成本）× 招攬顧客數
※LTV ＝顧客終身價值（Lifetime Value）

這個算式中有個不太常見的用語叫「LTV」。所謂的 LTV 就是平均 1 位顧客帶來的營業收入，詳細內容請見後文說明。

LTV：顧客終身價值

> **市場行銷利潤＝每位顧客的平均利潤 × 招攬顧客數**
> 　　　　　　＝（LTV －市場行銷費用－成本）× 招攬顧客數
> ※LTV ＝顧客終身價值（Lifetime Value）

　　思考市場行銷利潤時，最簡單的計算方法就是：

「客單價－市場行銷費用」

　　舉例而言，假如可以用1萬圓的廣告宣傳賣出3萬圓的商品，那麼這個市場行銷創造的利潤就是2萬圓。

　　然而，上述的計算沒有考量到一點，那就是其中不包含「重複利用」的使用者。「重複利用」在思考市場行銷的投資報酬率時，是非常重要的一點。

　　舉例而言，我長年使用同一家電信公司的手機門號。高中時剛好看到電視廣告就簽約了，然後持續使用了20年直到現在。假如我每個月支付1萬圓，至今為止總共支付給電信公司的金額，就是每月1萬圓 ×12個月 ×20年＝240萬圓。

　　從電信公司的立場來看，藉由打電視廣告這件事，獲得了願意支付240萬圓的使用者。如果是這樣的話，就算花很高的成本打電視廣告，似乎也可以說是一件有意義的事。

　　這筆240萬圓就叫做顧客終身價值，簡稱LTV。在思考投資報酬率

時，用顧客終身價值的概念去思考營業收入是很重要的。

顧客終身價值的計算方法依業態而有所不同。舉例而言，如果是定期訂閱新聞的話，金額大致上都是固定的，例如每年1,000圓等等。如果平均會持續簽約10年的話，LTV＝1萬圓。

只要招攬1位顧客的必要市場行銷費用在1萬圓以內的話，利潤就會是正數。

這次的個案如下所示，是定期訂閱個人電腦或手機的線上新聞服務。假設這項服務的使用者每年須支付1,000圓，又每年有70％的使用者會續訂，其餘30％則會退訂。

負責市場行銷的你，在2019年花了20萬圓打廣告，結果招攬到100名新訂閱戶。問題來了，請問這次的市場行銷（廣告宣傳）能夠創造多少利潤？

圖 5-7	個案研究

(1) 定期訂閱線上新聞
　(A) 使用者每年支付1,000圓
　(B) 每年有70％的使用者會續訂（30％會退訂）

(2) 計算市場行銷創造的利潤
　(A) 2019年投資了200,000圓的市場行銷費用（廣告宣傳）
　(B) 這次的市場行銷投資招攬到100名新訂閱戶
　(C) 計算2019年〜2023年這5年間創造的利潤

最終的計算結果如圖5-8所示。

在這次的計算中，(1) 價值動因分別是年訂閱費、新訂閱戶數、續訂率、平均招攬成本和成本率這5項。知道這些以後，即可計算 (2) 市場行銷利潤。

圖 5-8 **最終的計算示意圖**

	A	B	C	D	E	F	G	H	I	J
2		年訂閱費	圓	1,000						
3		新訂閱戶數	人	100						
4		續訂率	%	70%		(1) 價值動因				
5		平均招攬成本	圓	2,000						
6		成本率	%	5%						
7									(2) 市場行銷利潤	
8		2019年市場行銷創造的利潤								
9										
10				2019年	2020年	2021年	2022年	2023年	合計	平均
11		訂閱戶數	人	100	70	49	34	24		
12		年訂閱費	圓	1,000	1,000	1,000	1,000	1,000		LTV↓
13		營收	圓	100,000	70,000	49,000	34,300	24,010	277,310	2,773
14		市場行銷費用	圓						200,000	2,000
15		市場行銷利潤	圓						77,310	773

一開始先計算訂閱戶數（圖5-9儲存格D11）。首年度的2019年訂閱戶數就是新訂閱戶數100人，因此參照到儲存格D3。

2020年以後的訂閱戶數（儲存格E11）是用「前一年度的訂閱戶數×續訂率70％」的算式去計算出來的。此外，參照到續訂率70％（儲存格D4）時，都設定為絕對參照，2021年～2023年都只要簡單地複製計算式即可。

接下來是年訂閱費（儲存格D12），這個只要直接參照到每年1,000圓（儲存格D2）就好了。

圖 5-9　計算訂閱戶數與年訂閱費

Panel 1

	A	B	C	D	E	F	G	H	I	J
1										
2		年訂閱費	圓	1,000						
3		新訂閱戶數	人	100						
4		續訂率	%	70%						
5		平均招攬成本	圓	2,000						
6		成本率	%	5%						
7										
8		2019年市場行銷創造的利潤								
9										
10				2019年	2020年	2021年	2022年	2023年	合計	平均
11		訂閱戶數	人	=D3						
12		年訂閱費	圓							LTV↓
13		營收	圓							
14		市場行銷費用	圓							
15		市場行銷利潤	圓							

Panel 2

	A	B	C	D	E	F	G	H	I	J
1										
2		年訂閱費	圓	1,000						
3		新訂閱戶數	人	100						
4		續訂率	%	70%						
5		平均招攬成本	圓	2,000						
6		成本率	%	5%						
7										
8		2019年市場行銷創造的利潤								
9										
10				2019年	2020年	2021年	2022年	2023年	合計	平均
11		訂閱戶數	人	100	=D11*$D$4					
12		年訂閱費	圓							LTV↓
13		營收	圓							
14		市場行銷費用	圓							
15		市場行銷利潤	圓							

Panel 3

	A	B	C	D	E	F	G	H	I	J
1										
2		年訂閱費	圓	1,000						
3		新訂閱戶數	人	100						
4		續訂率	%	70%						
5		平均招攬成本	圓	2,000						
6		成本率	%	5%						
7										
8		2019年市場行銷創造的利潤								
9										
10				2019年	2020年	2021年	2022年	2023年	合計	平均
11		訂閱戶數	人	100	70	49	34	24		
12		年訂閱費	圓	=$D$2						LTV↓
13		營收	圓							
14		市場行銷費用	圓							
15		市場行銷利潤	圓							

接著計算營收（圖5-10第13列）。2019年～2023年各年度的營收是由「訂閱戶數×年訂閱費」所決定的。除此之外，只要加總這5年的營收（圖5-11儲存格I13），即可計算2019年招攬的100名新訂閱戶，在2019年～2023年這5年間總共會支付多少錢（營收）。

圖 5-10　計算營收

	A	B	C	D	E	F	G	H	I	J
1										
2		年訂閱費	圓	1,000						
3		新訂閱戶數	人	100						
4		續訂率	%	70%						
5		平均招攬成本	圓	2,000						
6		成本率	%	5%						
7										
8		2019年市場行銷創造的利潤								
9										
10				2019年	2020年	2021年	2022年	2023年	合計	平均
11		訂閱戶數	人	100	70	49	34	24		
12		年訂閱費	圓	1,000	1,000	1,000	1,000	1,000		LTV↓
13		營收	圓	=D11*D12						
14		市場行銷費用	圓							
15		市場行銷利潤	圓							

圖 5-11　計算營收（2019～2023年）的合計

	A	B	C	D	E	F	G	H	I
1									
2		年訂閱費	圓	1,000					
3		新訂閱戶數	人	100					
4		續訂率	%	70%					
5		平均招攬成本	圓	2,000					
6		成本率	%	5%					
7									
8		2019年市場行銷創造的利潤							
9									
10				2019年	2020年	2021年	2022年	2023年	合計
11		訂閱戶數	人	100	70	49	34	24	
12		年訂閱費	圓	1,000	1,000	1,000	1,000	1,000	
13		營收	圓	100,000	70,000	49,000	34,300	24,010	=SUM(D13:H13)
14		營業成本	圓						
15		市場行銷費用	圓						
16		市場行銷利潤	圓						

接著再用新訂閱戶數計算平均營收（圖5-12儲存格J13）。將前面計算出的合計營收除以新訂閱戶數100人。

图 5-12 計算新訂閱戶數平均營收＝顧客終身價值（儲存格 J13）

	A	B	C	D	E	F	G	H	I	J
1										
2		年訂閱費	圓	1,000						
3		新訂閱戶數	人	100						
4		續訂率	%	70%						
5		平均招攬成本	圓	2,000						
6		成本率	%	5%						
7										
8		2019年市場行銷創造的利潤								
9										
10				2019年	2020年	2021年	2022年	2023年	合計	平均
11		訂閱戶數	人	100	70	49	34	24		
12		年訂閱費	圓	1,000	1,000	1,000	1,000	1,000		LTV ↓
13		營收	圓	100,000	70,000	49,000	34,300	24,010	277,310	=I13/D3
14		市場行銷費用	圓							
15		市場行銷利潤	圓							

图 5-13 新訂閱戶數平均營收＝顧客終身價值為 2,773 圓！

	A	B	C	D	E	F	G	H	I	J
1										
2		年訂閱費	圓	1,000						
3		新訂閱戶數	人	100						
4		續訂率	%	70%						
5		平均招攬成本	圓	2,000						
6		成本率	%	5%						
7										
8		2019年市場行銷創造的利潤								
9										
10				2019年	2020年	2021年	2022年	2023年	合計	平均
11		訂閱戶數	人	100	70	49	34	24		
12		年訂閱費	圓	1,000	1,000	1,000	1,000	1,000		LTV ↓
13		營收	圓	100,000	70,000	49,000	34,300	24,010	277,310	2,773
14		市場行銷費用	圓							
15		市場行銷利潤	圓							

最後就會像這樣得出2,773圓這個數字。也就是說，**每位新訂閱戶帶來的平均營收是2,773圓。這就叫做顧客終身價值。**

接下來是比較顧客終身價值與市場行銷費用（廣告費用），計算是否有創造利潤。

市場行銷費用（廣告宣傳費用）是新訂閱戶數（儲存格D3）×平均招攬成本（儲存格D5），就是200,000圓。

圖 5-14 **市場行銷費用（儲存格I14）＝新訂閱戶數 × 平均招攬成本**

	A	B	C	D	E	F	G	H	I	J
1										
2		年訂閱費	圓	1,000						
3		新訂閱戶數	人	100						
4		續訂率	%	70%						
5		平均招攬成本	圓	2,000						
6		成本率	%	5%						
7										
8		2019年市場行銷創造的利潤								
9										
10				2019年	2020年	2021年	2022年	2023年	合計	平均
11		訂閱戶數	人	100	70	49	34	24		
12		年訂閱費	圓	1,000	1,000	1,000	1,000	1,000		LTV↓
13		營收	圓	100,000	70,000	49,000	34,300	24,010	277,310	2,773
14		市場行銷費用	圓						=D3*D5	
15		市場行銷利潤	圓							

最後是市場行銷利潤，用合計營收減去合計市場行銷費用。

圖 5-15 **市場行銷利潤（儲存格I15）＝合計營收－合計市場行銷費用**

	A	B	C	D	E	F	G	H	I	J
1										
2		年訂閱費	圓	1,000						
3		新訂閱戶數	人	100						
4		續訂率	%	70%						
5		平均招攬成本	圓	2,000						
6		成本率	%	5%						
7										
8		2019年市場行銷創造的利潤								
9										
10				2019年	2020年	2021年	2022年	2023年	合計	平均
11		訂閱戶數	人	100	70	49	34	24		
12		年訂閱費	圓	1,000	1,000	1,000	1,000	1,000		LTV↓
13		營收	圓	100,000	70,000	49,000	34,300	24,010	277,310	2,773
14		市場行銷費用	圓						200,000	
15		市場行銷利潤	圓						=I13-I14	

結果如圖5-16所示，市場行銷利潤是77,310圓。如果除以新訂閱戶數100人（儲存格D3）的話，平均每位新訂閱戶創造的利潤就是773圓（儲存格J15）。

圖 5-16　計算平均市場行銷利潤

	A	B	C	D	E	F	G	H	I	J
1										
2		年訂閱費	圓	1,000						
3		新訂閱戶數	人	100						
4		續訂率	%	70%						
5		平均招攬成本	圓	2,000						
6		成本率	%	5%						
7										
8		2019年市場行銷創造的利潤								
9										
10				2019年	2020年	2021年	2022年	2023年	合計	平均
11		訂閱戶數	人	100	70	49	34	24		
12		年訂閱費	圓	1,000	1,000	1,000	1,000	1,000		LTV↓
13		營收	圓	100,000	70,000	49,000	34,300	24,010	277,310	2,773
14		市場行銷費用	圓						200,000	2,000
15		市場行銷利潤	圓						77,310	773

也就是說，**藉由支出市場行銷費用200,000圓（平均1人2,000圓），總共創造出77,310圓的利潤。**

市場行銷利潤＝（　LTV　－　市場行銷費用　－**成本**）×新訂閱戶數

77,310圓　　　　2,773圓　　　　2,000圓　　　　　　　100人

儲存格I15　　　儲存格J13　　　儲存格J14　　　　　　儲存格D3

有一點要注意的是，雖然LTV寫2,773圓，但正確來說是2,773.1圓（用計算機計算上述式子的話，數字會有尾差，還請特別注意）。

計算市場行銷的投資報酬率要包含「成本」

計算市場行銷利潤時，不僅要用營收減去市場行銷費用，還必須減去營業成本。算式如下：

> **市場行銷利潤＝（LTV－市場行銷費用－成本）×招攬顧客數**
> ※LTV＝顧客終身價值

舉例而言，假設用 10,000 圓的市場行銷費用，賣出 10,000 圓食品的話，那麼利潤並不是營收 10,000 圓－費用 10,000 圓＝ 0 圓。由於生產食品還有必要的材料費或運輸費，因此實際上會造成虧損。

也就是說，**計算市場行銷利潤時，必須計算「營收－營業成本－市場行銷費用」才行。**

此處所謂的營業成本，只要想成是「隨著銷售量增加的成本」就行了。例如材料費、運輸費或製造相關的人事成本等都包含在內。

若以前述線上新聞訂閱的商業模型來說，使用者可能會用信用卡支付訂閱費。這時，由於新聞公司必須負擔信用卡的刷卡手續費，因此必須把這筆費用計算在營業成本中。

假設手續費是 5% 的話，營業成本（圖 5-17 第 14 列）的計算式就是：營業成本＝營收 × 成本率 5%（儲存格 D6）。

圖 5-17	營業成本（儲存格 D14）＝營收×成本率 5%

	A	B	C	D	E	F	G	H	I	J
1										
2		年訂閱費	圓	1,000						
3		新訂閱戶數	人	100						
4		續訂率	%	70%						
5		平均招攬成本	圓	2,000						
6		成本率	%	5%						
7										
8		2019年市場行銷創造的利潤								
9										
10				2019年	2020年	2021年	2022年	2023年	合計	平均
11		訂閱戶數	人	100	70	49	34	24		
12		年訂閱費	圓	1,000	1,000	1,000	1,000	1,000		LTV↓
13		營收	圓	100,000	70,000	49,000	34,300	24,010	277,310	2,773
14		營業成本	圓	=D13*$D$6						
15		市場行銷費用	圓						200,000	2,000
16		市場行銷利潤	圓						77,310	773

接著計算市場行銷利潤。市場行銷利潤＝營收－營業成本－市場行銷費用（圖5-18儲存格I16）。

圖 5-18	市場行銷利潤＝營收－營業成本－市場行銷費用

	A	B	C	D	E	F	G	H	I	J
1										
2		年訂閱費	圓	1,000						
3		新訂閱戶數	人	100						
4		續訂率	%	70%						
5		平均招攬成本	圓	2,000						
6		成本率	%	5%						
7										
8		2019年市場行銷創造的利潤								
9										
10				2019年	2020年	2021年	2022年	2023年	合計	平均
11		訂閱戶數	人	100	70	49	34	24		
12		年訂閱費	圓	1,000	1,000	1,000	1,000	1,000		LTV↓
13		營收	圓	100,000	70,000	49,000	34,300	24,010	277,310	2,773
14		營業成本	圓	5,000	3,500	2,450	1,715	1,201	13,866	139
15		市場行銷費用	圓						200,000	2,000
16		市場行銷利潤	圓						=I13-I14-I15	634

由圖5-19可知，藉由支出市場行銷費用200,000圓（平均1人2,000圓），創造出63,445圓的利潤。

圖5-19　計算市場行銷利潤（儲存格I16）

	B	C	D	E	F	G	H	I	J
2	年訂閱費	圓	1,000						
3	新訂閱戶數	人	100						
4	續訂率	%	70%						
5	平均招攬成本	圓	2,000						
6	成本率	%	5%						
7									
8	2019年市場行銷創造的利潤								
9									
10			2019年	2020年	2021年	2022年	2023年	合計	平均
11	訂閱戶數	人	100	70	49	34	24		
12	年訂閱費	圓	1,000	1,000	1,000	1,000	1,000		LTV↓
13	營收	圓	100,000	70,000	49,000	34,300	24,010	277,310	2,773
14	營業成本	圓	5,000	3,500	2,450	1,715	1,201	13,866	139
15	市場行銷費用	圓						200,000	2,000
16	市場行銷利潤	圓						63,445	634

經由以上程序，市場行銷利潤的計算就完成了。匯總結果如下：

市場行銷利潤＝（　LTV　－　市場行銷費用　－　成本）×新訂閱戶數

63,445圓	2,773圓	2,000圓	139圓	100人
儲存格I16	儲存格J13	儲存格J15	儲存格J14	儲存格D3

各家企業都不公開顧客終身價值的理由

關於顧客終身價值這個數字，基本上只要是有投入市場行銷的企業，幾乎一定會管理這些相關資料：

- 用哪種市場行銷（廣告的種類）獲得了多少新的使用者
- 那些使用者中有多少人持續利用
- 那些使用者貢獻了多少營收

或者如果是零售業的話就製作集點卡，讓人在網路上登錄為使用者等等。花費高額預算取得每位使用者的動向資料，然後配合顧客終身價值決定合理的廣告預算，這就是市場行銷人員的工作。

然而，儘管顧客終身價值在市場行銷面上是非常重要的指標，但幾乎沒有企業會公開表明說：「本公司的顧客終身價值是○○圓。」理由是因為顧客終身價值的計算精確度是有極限的。

在前述的線上新聞訂閱事業中，每年的續訂率設定為 70％。然而實際上，設定這種前提條件會發生各種問題。舉例而言，續訂率每年應該都會改變，同時也會有很多讀者在剛訂閱的第 1 年到第 2 年之間，產生「閱讀的頻率比最初想像得少，感覺有點浪費，還是解約好了」的想法，因此續訂率也會變低。不過也有讀者到了第 4 年、第 5 年的時候，已經養成訂閱新聞的習慣，或是根本忘記有在支付訂閱費，因此續訂率應該會很高（這種顧客意外地多，是很重要的收益來

源）。必須像這樣去仔細檢視每年變動的續訂率。

此外，未來續訂率說不定會變高。即使現在是70％，但持續改善服務的話，也有可能提高到80％。由於今年使用的廣告宣傳費用所帶來的利潤（投資報酬）取決於未來的續訂率，因此在不曉得未來續訂率的前提下，顧客終身價值的計算不夠精確也是無可奈何的事。

此外，如果像這次的例子一樣，年訂閱費是固定金額（1,000圓）的話還比較容易理解，但也會有變動的情況。例如在線上販賣商品的情況下，由於聖誕節促銷期間預計營收會上漲（季節因素），而顧客終身價值要如何算進這項因素，也是令人傷腦筋的問題。

然後預測期間的判斷也很困難。這次計算的是2019年～2023年，共5年期間的市場行銷利潤，但實際上應該也有讀者會持續訂閱到2024年以後，這個部分要預測到什麼程度也是很重要的問題。此外，如果預測期間很長的話，某些情況下也必須用那段期間的資本成本去折現（財務上稱折現率）。

這些因素全部都要合理計算並預測是很困難的事，實際上，在市場行銷人員之間，計算顧客終身價值的依據每年都會稍微改變也是很常見的事。因此，顧客終身價值的計算只保留在公司內部而不對外公開，似乎是普遍的作法。

運用顧客終身價值模型讓市場行銷利潤最大化

只要製作圖5-20中，計算顧客終身價值與市場行銷利潤的模型（本書稱為顧客終身價值模型），即可<mark>模擬在使用多少市場行銷費用時，可以讓市場行銷利潤最大化</mark>。

這正是市場行銷人員展現實力的大好機會。當周圍的人冷眼質疑「那個市場行銷能賺多少錢？」時，能夠說服眾人的數字，就是此處市場行銷利潤的計算。

圖5-20 使用顧客終身價值模型讓市場行銷利潤最大化

				2019年	2020年	2021年	2022年	2023年	合計	平均
年訂閱費		圓	1,000							
新訂閱戶數		人	100							
續訂率		%	70%							
平均招攬成本		圓	2,000							
成本率		%	5%							
2019年市場行銷創造的利潤										
				2019年	2020年	2021年	2022年	2023年	合計	平均
訂閱戶數		人		100	70	49	34	24		
年訂閱費		圓		1,000	1,000	1,000	1,000	1,000		LTV↓
營收		圓		100,000	70,000	49,000	34,300	24,010	277,310	2,773
營業成本		圓		5,000	3,500	2,450	1,715	1,201	13,866	139
市場行銷費用		圓							200,000	2,000
市場行銷利潤		圓							63,445	634

在進行這項模擬時有一個重要的前提：市場行銷費用（平均招攬成本）與招攬顧客數成反比。也就是說，招攬的顧客愈多，平均招攬1位顧客的必要成本就會增加。

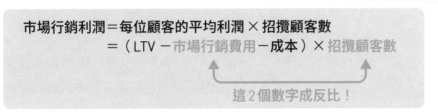

市場行銷利潤＝每位顧客的平均利潤 × 招攬顧客數
　　　　　＝（LTV － 市場行銷費用 － 成本）× 招攬顧客數

這2個數字成反比！

當然，這項前提並不適用於所有的市場行銷方案。其中也有招攬顧客數增加，加上口耳相傳使得新顧客數增加，導致招攬成本降低的情形。

此概念的來源之一，就是先前介紹過的「Low Hanging Fruits」。在市場行銷中，往往會先從可用低價招攬顧客，也就是招攬效率好的方法開始。因此，隨著招攬人數的增加，市場行銷手段的效率也會愈來

圖 5-21　Low Hanging Fruits（長在低處的水果比較容易採）

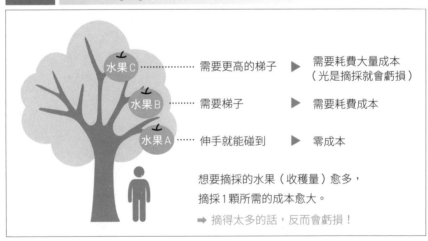

愈差，結果導致平均招攬成本提高，無法再創造利潤。

換句話說，招攬數增加太多的話就會虧損，因此要讓市場行銷利潤最大化，必須找到最適當的招攬數與招攬成本才行。

接下來進入本次的個案研究，試著計算看看前述線上新聞訂閱事業，如果要讓市場行銷利潤最大化，必要的招攬成本與新訂閱戶數是多少。

圖5-22　個案研究

⑴ 市場行銷的趨勢

新訂閱戶數增加愈多，平均招攬成本也呈現增加的趨勢

⑵ 哪個情況可以創造出最大的市場行銷利潤？

(A) 平均招攬成本 1,750 圓，新訂閱戶數 50 人

(B) 平均招攬成本 2,000 圓，新訂閱戶數 100 人

(C) 平均招攬成本 2,250 圓，新訂閱戶數 200 人

(D) 平均招攬成本 2,500 圓，新訂閱戶數 300 人

當然，由於（D）的新訂閱戶數比（A）多，因此可以想見營收肯定也比較高。不過（D）的平均招攬成本很高，需要支出相當的費用，所以利潤不見得是最高的。

難得有這個機會，就用本書介紹過的敏感度分析來計算。若縱軸是平均招攬成本，橫軸是新訂閱戶數，則市場行銷利潤的計算如下：

圖 5-23 用敏感度分析計算市場行銷利潤

	K L	M	N	O	P	Q
17						
18	市場行銷利潤					
19	圓			新訂閱戶數		
20			50	100	200	300
21	平均	1,750	[A] 44,222	88,445	176,889	265,334
22	招攬	2,000	31,722	[B] 63,445	126,889	190,334
23	成本	2,250	19,222	38,445	[C] 76,889	115,334
24		2,500	6,722	13,445	26,889	[D] 40,334

　　分別標示出問題（A）〜（D）。由此表可知，利潤最高的是（C），之後依序是（B）、（A）、（D）。也就是說，在這4個選項當中，以平均2,250圓為標準去招攬新訂閱戶，能夠讓市場行銷利潤最大化。

圖 5-24 答案是（C）

⑴ 市場行銷的趨勢

　　新訂閱戶數增加愈多，平均招攬成本也呈現增加的趨勢

⑵ 哪個情況可以創造出最大的市場行銷利潤？

　　(A) 平均招攬成本 1,750 圓，新訂閱戶數 50 人　　⇒44,222圓

　　(B) 平均招攬成本 2,000 圓，新訂閱戶數 100 人　　⇒63,445圓

　　(C) 平均招攬成本 2,250 圓，新訂閱戶數 200 人　　⇒76,889圓

　　(D) 平均招攬成本 2,500 圓，新訂閱戶數 300 人　　⇒40,334圓

　　此外，從圖5-25的直條圖來看，一旦平均招攬成本提高到2,500圓，利潤就會大幅減少。由此也可清楚知道，**千萬要避免一不小心就讓成本提高到**2,500**圓的程度**。

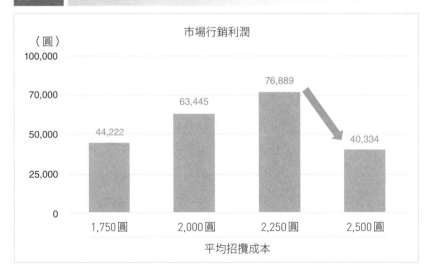

圖 5-25 平均招攬成本一旦提高到 2,500 圓，利潤就會大幅減少！

市場行銷利潤

（圓）

- 100,000
- 76,889
- 70,000
- 63,445
- 50,000
- 44,222
- 40,334
- 25,000
- 0

| 1,750圓 | 2,000圓 | 2,250圓 | 2,500圓 |

平均招攬成本

綜上所述，平均招攬成本太低或太高，都無法使利潤最大化。市場行銷人員在持續招攬新顧客的同時，也必須把招攬成本控制在合理的範圍內才行。

我認為在我實際見過的幾家企業中，最重視的經營指標就是「市場行銷利潤的最大化」。市場行銷利潤愈大，長期利潤也會持續增加。

反之，如果以增加短期利潤為目標，那麼試圖抑制市場行銷費用的心理，就很有可能不自覺地造成影響。

不過再次重申，市場行銷利潤的計算非常困難，預測的精確度存在極限。有可能預估續用率為70％，實際上卻停留在60％，這時高額的市場行銷費用就會造成虧損，像這樣不幸的例子也屢見不鮮。我認為對於市場行銷的投資報酬率，懷抱著「即使預估得稍微保守一點，也能夠創造利潤」的心態很重要。

SECTION 7

依照市場行銷手法分別製作顧客終身價值模型

雖然通稱為市場行銷，但種類其實五花八門，有電視廣告、雜誌廣告，也有網路廣告。此外，設法藉由友人之間的口耳相傳來招攬更多新顧客，也可以說是市場行銷手法之一。要逐一驗證市場行銷方案的效果，必須依照不同的市場行銷手法，分別計算市場行銷利潤。

請看圖5-26，當中記錄著每一種市場行銷手法的預算與實績。

首先是電視廣告（第13列）。顧客終身價值的實績（儲存格F14）有2,500圓的高水準，不過電視廣告的成本也很高，平均招攬成本是2,100圓。結果，市場行銷利潤反而變成負的30萬圓。光看這些數據就可以判斷，下個年度應該停止投放電視廣告。

此外，如果看到經由朋友介紹入會的顧客（第20列），招攬成本是零。因為是口耳相傳，所以不需任何費用，而且顧客終身價值也很高。可以想見的是，或許就是因為透過朋友介紹，才能夠招攬到願意持續使用的「高品質」使用者。結果市場行銷利潤的實績是2,804,000圓，創造了非常高的利潤。

圖5-27就是各市場行銷手法創造的營收與利潤。如果只看營收的話，電視廣告金額雖然很高，但實際創造利潤的方式卻是經由朋友介紹。市場行銷人員看到這些資料即可判斷：「哦，原來過去一直投資在電視廣告上，其實沒有太大意義啊。看來從今以後必須致力於鼓勵朋友介紹的方案了。」像這樣計算市場行銷利潤，可以在思考市場行銷方案優先度時提供判斷的依據。

圖 5-26	按照不同的市場行銷手法，分別管理顧客終身價值等資料

	A	B	C	D	E	F	G	H
3								
4		2018年市場行銷預算與實績比較						
5					預算	實績	預算實績差	預算實績比
6		網路廣告						
7			顧客終身價值	圓	2,000	2,100	100	105%
8			招募成本	圓	1,000	1,200	200	120%
9			營業成本	圓	400	420	20	105%
10			招募數	件	1,300	1,500	200	115%
11			營收	千圓	2,600	3,150	550	121%
12			市場行銷利潤	千圓	780	720	△ 60	92%
13		電視廣告						
14			顧客終身價值	圓	2,500	2,500	0	100%
15			招募成本	圓	1,900	2,100	200	111%
16			營業成本	圓	500	500	0	100%
17			招募數	件	2,500	3,000	500	120%
18			營收	千圓	6,250	7,500	1,250	120%
19			市場行銷利潤	千圓	250	△ 300	△ 550	-120%
20		朋友介紹						
21			顧客終身價值	圓	3,000	2,850	△ 150	95%
22			招募成本	圓	0	0	0	N.M.
23			營業成本	圓	600	570	△ 30	95%
24			招募數	件	1,000	1,230	230	123%
25			營收	千圓	3,000	3,506	506	117%
26			市場行銷利潤	千圓	2,400	2,804	404	117%

圖 5-27	電視廣告的營收雖然很高，但利潤卻是負的！

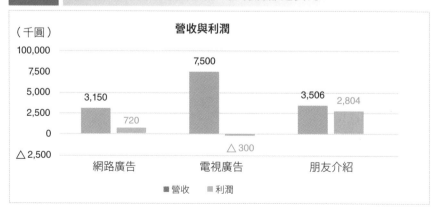

運用顧客終身價值模型制定收益計畫

如前所述，製作顧客終身價值模型的目的，是為了判斷收益計畫中很難預見的「市場行銷長期投資報酬率」。

因此，假設市場行銷人員運用顧客終身價值模型，設定了合理的招攬成本與目標招攬數，然而經營團隊看到顧客終身價值模型後，或許會問：「我知道這筆市場行銷投資會創造長期利潤，但如果持續做這筆市場行銷投資的話，明年或後年又預計會有多少營收與利潤呢？」

本章的最後，就要根據這個顧客終身價值模型來制定收益計畫。

圖 5-28　　**運用顧客終身價值模型制定收益計畫！**

---

(1) 收益計畫（營收、成本、利潤）

　(A) 期間利潤（1年內創造的營收與利潤）

　(B) 如果跨年度的話，有可能不曉得投資報酬率是多少

(2) 市場行銷（顧客終身價值模型）

　(A) 相對於廣告投資，那大約會創造出多少利潤呢？

　(B) 長期的投資報酬率

　　• 讓成本 vs 營收相互對應

剛才製作的顧客終身價值模型是圖5-29。

圖 5-29　用顧客終身價值模型制定收益計畫！

	A	B	C	D	E	F	G	H	I	J
1										
2		年訂閱費	圓	1,000						
3		新訂閱戶數	人	100						
4		續訂率	%	70%						
5		平均招攬成本	圓	2,000						
6		成本率	%	5%						
7										
8		2019年市場行銷創造的利潤								
9										
10				2019年	2020年	2021年	2022年	2023年	合計	平均
11		訂閱戶數	人	100	70	49	34	24		
12		年訂閱費	圓	1,000	1,000	1,000	1,000	1,000		LTV↓
13		營收	圓	100,000	70,000	49,000	34,300	24,010	277,310	2,773
14		營業成本	圓	5,000	3,500	2,450	1,715	1,201	13,866	139
15		市場行銷費用	圓						200,000	2,000
16		市場行銷利潤	圓						63,445	634

假設用顧客終身價值模型進行模擬後，為了讓市場行銷利潤最大化，決定採取以下的市場行銷策略：

圖 5-30　個案研究

(1) 使用顧客終身價值模型，採取以下的市場行銷策略

　　(A) 平均招攬成本是 2,000 圓

　　(B) 新訂閱戶數／年是 100 人

　　(C) 市場行銷費用（廣告費用）是全年 200,000 圓（＝A×B）

　　(D) 訂閱費是每人每年 1,000 圓

　　(E) 續訂率估計為 70%

　　(F) 從 2019 年到 2024 年，總共持續 6 年期間

(2) 課題

　　(A) 制定執行上述市場行銷時的收益模型（計畫）

顧客終身價值模型的概念是，計算「在特定年度招攬的顧客，未來會持續多久，貢獻多少營收」。前面製作的顧客終身價值模型，是在計算2019年招攬的顧客未來將創造多少營收與利潤。

除了計算2019年，如果再加上2020年招攬的顧客創造的營收與利潤、2021年招攬的顧客創造的營收與利潤……一直計算到2024年，就可以計算出各年度訂閱戶數的合計了。

圖5-31就是完成圖。縱軸是招攬到新訂閱戶的年度，橫軸是各年度訂閱戶數的合計。

圖5-31　2019～2024年各年度招攬到的訂閱戶數

	A	B	C	D	E	F	G	H	I
1									
2		新訂閱戶數／年			人	100			
3		續訂率			%	70%			
4		年訂閱費			圓	1,000			
5		平均招攬成本			圓	2,000			
6		成本率			%	5%			
7									
8		訂閱戶數的推移							
9						訂閱戶數			
10				2019年	2020年	2021年	2022年	2023年	2024年
11		招攬年度	2019年	100	70	49	34	24	17
12			2020年		100	70	49	34	24
13			2021年			100	70	49	34
14			2022年				100	70	49
15			2023年					100	70
16			2024年						100
17			合計	100	170	219	253	277	294

接下來就來詳細說明。先將2019年的新訂閱戶數（圖5-32儲存格D11）參照到儲存格F2的100人。

圖 5-32　**2019年的新訂閱戶數**

	A	B	C	D	E	F	G	H	I
1									
2		新訂閱戶數／年		人		100			
3		續訂率		%		70%			
4		年訂閱費		圓		1,000			
5		平均招攬成本		圓		2,000			
6		成本率		%		5%			
7									
8		訂閱戶數的推移							
9						訂閱戶數			
10				2019年	2020年	2021年	2022年	2023年	2024年
11	招	2019年		=F2					
12		2020年							
13	攬	2021年							
14	年	2022年							
15		2023年							
16	度	2024年							
17		合計							

接下來，再將2020年以後（圖5-33儲存格E11）設為前一年度的訂閱戶數 × 續訂率70％。

圖 5-33 2020 年的訂閱戶數＝ 2019 年 × 續訂率 70%

	A B	C	D	E	F	G	H	I
1								
2	新訂閱戶數／年		人		100			
3	續訂率		%		70%			
4	年訂閱費		圓		1,000			
5	平均招攬成本		圓		2,000			
6	成本率		%		5%			
7								
8	訂閱戶數的推移							
9					訂閱戶數			
10			2019年	2020年	2021年	2022年	2023年	2024年
11	招	2019年	100	=D11*$F$3				
12		2020年						
13	攬	2021年						
14		2022年						
15	年	2023年						
16	度	2024年						
17		合計						

2020年新增的訂閱戶數（第12列）同樣參照到儲存格F2的100人。

圖 5-34 2020 年的新訂閱戶數

	A B	C	D	E	F	G	H	I
1								
2	新訂閱戶數／年		人		100			
3	續訂率		%		70%			
4	年訂閱費		圓		1,000			
5	平均招攬成本		圓		2,000			
6	成本率		%		5%			
7								
8	訂閱戶數的推移							
9					訂閱戶數			
10			2019年	2020年	2021年	2022年	2023年	2024年
11	招	2019年	100	70	49	34	24	17
12		2020年		=F2				
13	攬	2021年						
14	年	2022年						
15		2023年						
16	度	2024年						
17		合計						

2021年以後設定為前一年度訂閱戶數 × 續訂率70%。

| 圖5-35 | 2021年的訂閱戶數 = 2020年 × 續訂率70% |

	A	B	C	D	E	F	G	H	I
1									
2		新訂閱戶數／年		人	100				
3		續訂率		%	70%				
4		年訂閱費		圓	1,000				
5		平均招攬成本		圓	2,000				
6		成本率		%	5%				
7									
8		訂閱戶數的推移							
9						訂閱戶數			
10				2019年	2020年	2021年	2022年	2023年	2024年
11	招	2019年		100	70	49	34	24	17
12	攬	2020年			100	=E12*$F$3			
13	年	2021年							
14		2022年							
15	度	2023年							
16		2024年							
17		合計							

用同樣的方式計算到2024年為止的訂閱戶數。

最後計算各年度的合計訂閱戶數（第17列）。

| 圖5-36 | 2021年的合計訂閱戶數 |

	A	B	C	D	E	F	G	H	I
1									
2		新訂閱戶數／年		人	100				
3		續訂率		%	70%				
4		年訂閱費		圓	1,000				
5		平均招攬成本		圓	2,000				
6		成本率		%	5%				
7									
8		訂閱戶數的推移							
9						訂閱戶數			
10				2019年	2020年	2021年	2022年	2023年	2024年
11	招	2019年		100	70	49	34	24	17
12	攬	2020年			100	70	49	34	24
13	年	2021年				100	70	49	34
14	年	2022年					100	70	49
15	度	2023年						100	70
16		2024年							100
17		合計		100	170	=SUM(F11:F16)	253	277	294

圖5-37計算出來的數字就是2019 ～ 2024年的訂閱戶數。

圖 5-37

圖 5-37　2019 ～ 2024 年的訂閱戶數（第 17 列）

		2019年	2020年	2021年	2022年	2023年	2024年
新訂閱戶數／年	人	100					
續訂率	%	70%					
年訂閱費	圓	1,000					
平均招攬成本	圓	2,000					
成本率	%	5%					

訂閱戶數的推移

		2019年	2020年	2021年	2022年	2023年	2024年
招	2019年	100	70	49	34	24	17
	2020年		100	70	49	34	24
攬	2021年			100	70	49	34
年	2022年				100	70	49
	2023年					100	70
度	2024年						100
	合計	100	170	219	253	277	294

訂閱戶數

接著計算各年度營收、成本與利潤。營收（儲存格 D21）用訂閱戶數 × 年訂閱費 1,000 圓去計算，表格以千圓為單位，所以除以「1000」。

圖 5-38　營收（儲存格 D21）＝訂閱戶數 × 年訂閱費

新訂閱戶數／年	人	100					
續訂率	%	70%					
年訂閱費	圓	1,000					
平均招攬成本	圓	2,000					
成本率	%	5%					

訂閱戶數的推移

訂閱戶數

		2019年	2020年	2021年	2022年	2023年	2024年
招	2019年	100	70	49	34	24	17
	2020年		100	70	49	34	24
攬	2021年			100	70	49	34
年	2022年				100	70	49
	2023年					100	70
度	2024年						100
	合計	100	170	219	253	277	294

收益計畫

	2019年	2020年	2021年	2022年	2023年	2024年
營收	=D17*$F$4/1000					
成本						
廣告費用						
利潤						

接下來再計算圖5-39的「成本＝營收×成本率5％」，與圖5-40的「廣告費用＝新訂閱戶數100人×平均招攬成本2,000圓」。廣告費用以千圓為單位，因此最後要再除以「1000」。

圖5-39　成本（儲存格D22）＝營收×成本率5％

	A	B	C	D	E	F	G	H	I
1									
2		新訂閱戶數／年		人		100			
3		續訂率		%		70%			
4		年訂閱費		圓		1,000			
5		平均招攬成本		圓		2,000			
6		成本率		%		5%			
7									
8		訂閱戶數的推移							
9						訂閱戶數			
10				2019年	2020年	2021年	2022年	2023年	2024年
11	招	2019年		100	70	49	34	24	17
12		2020年			100	70	49	34	24
13	攬	2021年				100	70	49	34
14	年	2022年					100	70	49
15		2023年						100	70
16	度	2024年							100
17		合計		100	170	219	253	277	294
18									
19		收益計畫							
20				2019年	2020年	2021年	2022年	2023年	2024年
21		營收		100	170	219	253	277	294
22		成本		=D21*$F$6					
23		廣告費用							
24		利潤							

圖5-40　廣告費用（儲存格D23）＝新訂閱戶數×平均招攬成本

	A	B	C	D	E	F	G	H	I
1									
2		新訂閱戶數／年		人		100			
3		續訂率		%		70%			
4		年訂閱費		圓		1,000			
5		平均招攬成本		圓		2,000			
6		成本率		%		5%			
7									
8		訂閱戶數的推移							
9						訂閱戶數			
10				2019年	2020年	2021年	2022年	2023年	2024年
11	招	2019年		100	70	49	34	24	17
12		2020年			100	70	49	34	24
13	攬	2021年				100	70	49	34
14	年	2022年					100	70	49
15		2023年						100	70
16	度	2024年							100
17		合計		100	170	219	253	277	294
18									
19		收益計畫							
20				2019年	2020年	2021年	2022年	2023年	2024年
21		營收		100	170	219	253	277	294
22		成本		5	9	11	13	14	15
23		廣告費用		=$F$2*$F$5/1000					
24		利潤							

最後再計算「利潤＝營收－成本－廣告費用」就完成了。

這樣收益計畫就完成了！

	A	B	C	D	E	F	G	H	I
1									
2		新訂閱戶數／年			人	100			
3		續訂率			%	70%			
4		年訂閱費			圓	1,000			
5		平均招攬成本			圓	2,000			
6		成本率			%	5%			
7									
8		訂閱戶數的推移							
9						訂閱戶數			
10				2019年	2020年	2021年	2022年	2023年	2024年
11		招	2019年	100	70	49	34	24	17
12		攬	2020年		100	70	49	34	24
13			2021年			100	70	49	34
14		年	2022年				100	70	49
15			2023年					100	70
16		度	2024年						100
17			合計	100	170	219	253	277	294
18									
19		收益計畫							
20				2019年	2020年	2021年	2022年	2023年	2024年
21		營收		100	170	219	253	277	294
22		成本		5	9	11	13	14	15
23		廣告費用		200	200	200	200	200	200
24		利潤		△ 105	△ 39	8	41	63	79

這樣一來，前面的市場行銷策略（顧客終身價值模型）就反映在收益計畫裡了。

最後試著把這些營收與利潤製成圖表吧。選取圖5-41的營收（第21列）與利潤（第24列），製作出來的直條圖就是圖5-42。

圖 5-42　將營收與利潤製成圖表

由此圖表可知，雖然這份計畫在2019年和2020年是虧損的，但2021年後將會產生盈餘。

實際上，在新創企業的事業計畫中，像這種最初幾年虧損，之後轉虧為盈的計畫是很普遍的。為了支應虧損期間的必要經費，需要從創投等管道募集資金，而顧客終身價值模型在募資時就能夠派上用場。也就是說，要提出這樣的說明：「現在進行的市場行銷如收益計畫所示，在短期內會呈現虧損，但從顧客終身價值模型可知，長期來看將會創造利潤，所以現在必須募集資金來投入市場行銷」。

用顧客終身價值模型與收益模型預測何時「碰到天花板」

本章提到要藉由調整「平均招攬成本」與「招攬數」來達到市場行銷利潤的最大化，但另一項重要的價值動因就是「顧客的續用率」。

有時已經積極投入廣告宣傳等市場行銷來擴大事業，營收卻依舊難以成長。明明每年都投入同樣的金額在市場行銷上，為什麼營收卻無法突破，原因就在於顧客續用率的影響。

請看前面模型的訂閱戶數。圖 5-43 顯示的是續訂率 70％時的訂閱戶數，如果把續訂率調整為 90％或 50％，訂閱戶數就會變成如圖 5-44 所示。

從此圖表來看，當續訂率為 90％時，訂閱戶數持續穩定向上成長。而當續訂率為 70％時，在 2023 年左右就會碰到天花版。至於續訂率為 50％時，大概從 2021 年開始就不再成長了。一旦續訂率降到 50％，無論新訂閱戶數再多，現有的訂閱戶數只會愈來愈少，因此合計的訂閱戶數不會再繼續成長，完全就是「竹籃打水的狀態」。

要能夠長期持續成長而不「碰到天花板」，首先必須思考的是「高續用率＝高顧客終身價值」。只要顧客終身價值夠高，即使把市場行銷預算投資下去，一樣能得到充分的利潤，長期來說也能維持強而有力的成長。

圖 5-43　續用率70%時的訂閱戶數（第17列）。如果改成90%或50%的話⋯⋯

		A	B	C	D	E	F	G	H	I
1										
2			新訂閱戶數／年		人		100			
3			續訂率		%		70%			
4			年訂閱費		圓		1,000			
5			平均招攬成本		圓		2,000			
6			成本率		%		5%			
7										
8			訂閱戶數的推移							
9							訂閱戶數			
10				2019年	2020年	2021年	2022年	2023年	2024年	
11	招	2019年	100	70	49	34	24	17	
12		2020年		100	70	49	34	24	
13	攬	2021年			100	70	49	34	
14	年	2022年				100	70	49	
15		2023年					100	70	
16	度	2024年						100	
17		合計	100	170	219	253	277	294	

圖 5-44　**訂閱戶數的成長會因續用率而有所不同！**

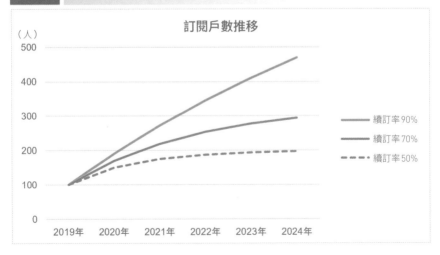

延續顧客終身價值有各種方法

　　如果顧客終身價值很高，就可以積極地投入市場行銷。舉例而言，大型電信公司之所以可以四處打廣告，理由之一就是因為使用者會長期支付手機費用，所以顧客終身價值非常高。像這種「高續用率＝高顧客終身價值」的商業模式也是存在的。

　　另一方面，樂天除了是大型電商平台，同時也推出樂天信用卡等金融服務。如此一來，在樂天購物的人就會加入樂天信用卡、加入樂天銀行⋯⋯一個不留神之間，使用者創造的營收就愈來愈高。這就是「客單價提高＝高顧客終身價值」的模式。

　　此外，筆者平時會舉辦各種運用Excel的講座，並積極地活用網路廣告來招攬學員。在最初舉辦講座的階段，廣告實在談不上什麼投資報酬率，因為講座只辦了1場，沒有第2場。這樣的話，從1名參加者身上能獲得的收益有限。於是我又再設計了2場系列講座，成功增加了持續參與講座的人數，提高每個人帶來的平均營收（顧客終身價值），同時也能更積極地投放網路廣告。

後記

　　本書的書名「用Excel學習商業模擬」（編注：原日文書名），是我在2013年10月初次舉辦的講座主題，現在更成為我的主打講座主題。我的講座比起傳授Excel技巧，更著重於「如何運用Excel去面對商業上的數字」。

　　自從我出版第1本著作《外商投資銀行超強Excel製作術》以來，陸續有許多企業委託我舉辦研習，讓我有機會接觸到1萬人以上的商務人士。根據每天在工作上面對數字的各位提出的問題、煩惱與經驗，我執筆寫下了本書。對於各位提供的無數真知灼見，請容我在此表達感謝。

　　另外，我也要在此感謝Diamond社的木山政行先生，在本書的執筆上給予莫大的支援，還有Excel的專家岡田泰子小姐，提供我許多寶貴的建議。能與《外商投資銀行超強Excel製作術》的同一批班底合作，我感到非常放心。如果不是因為這樣的團隊體制，這次恐怕很

第1場講座（左圖，2013年）與最近的講座（右圖）。託大家的福，參加者也增加了。

難將商業模擬 × Excel這種高難度的主題付梓成書吧。

在出版效果的加持下，最近每一場講座都有許多商務人士參加，企業研習也常常額滿到必須候補，令我十分高興。期待未來有機會見到每一位閱讀本書的你！

2019年2月　熊野　整

BIG 341

外商投資銀行超強 Excel 獲利法
step by step 任何人都能提升數字敏感度，創造利潤最大化

作　　者－熊野整
譯　　者－劉格安
主　　編－陳家仁
編　　輯－黃凱怡
協力編輯－黃琮軒
企　　劃－藍秋惠
封面設計－陳文德
內頁設計－李宜芝

總 編 輯－胡金倫
董 事 長－趙政岷
出 版 者－時報文化出版企業股份有限公司
　　　　　108019 台北市和平西路三段 240 號 4 樓
　　　　　發行專線－ (02)2306-6842
　　　　　讀者服務專線－ 0800-231-705・(02)2304-7103
　　　　　讀者服務傳真－ (02)2304-6858
　　　　　郵撥－ 19344724 時報文化出版公司
　　　　　信箱－ 10899 臺北華江橋郵局第 99 信箱
時報悅讀網－ http://www.readingtimes.com.tw
法律顧問－理律法律事務所　陳長文律師、李念祖律師
印　　刷－紘億印刷有限公司
初版一刷－ 2020 年 10 月 8 日
定　　價－新台幣 350 元
（缺頁或破損的書，請寄回更換）

時報文化出版公司成立於一九七五年，
並於一九九九年股票上櫃公開發行，於二〇〇八年脫離中時集團非屬旺中，
以「尊重智慧與創意的文化事業」為信念。

外商投資銀行超強 Excel 獲利法：step by step 任何人都能提升數字敏感
度，創造利潤最大化 / 熊野整作；劉格安譯 . -- 初版 . -- 臺北市：時報
文化，2020.10
　　208 面；14.8 x 21 公分 . -- (Big；341)
　ISBN 978-957-13-8357-6(平裝)

1.EXCEL(電腦程式)

312.49E9　　　　　　　　　　　　　　　　109012827

ISBN 978-957-13-8357-6
Printed in Taiwan